Vorwort

Als ich in Westafrika lebte, wurde ich gelassen. Als ich nach Ostafrika kam, merkte ich, dass ich nicht gelassen genug war. Hier wird die Geduld auf eine harte Probe gestellt. Es ist, als sei auf Sansibar die Uhr stehen geblieben und nach 100 Jahren noch nicht wieder aufgezogen worden.

Wo Sindbad der Seefahrer schon vor Anker ging, kommt jetzt, nach 1000 und einer Nacht, das langsame Erwachen. Vor der Küste blähen noch die alten Holzschiffe wie vor Hunderten von Jahren die Segel und reich verzierte arabische Paläste erzählen von der Zeit, als Sansibar der größte Sklavenumschlagplatz Ostafrikas war. Elend und Glanz lagen hier schon immer nah beieinander. Die Gewürzinseln waren Drehscheibe für Eroberer, Glücksritter und Kaufleute. Die Heimat von omanischen Prinzessinnen, ein Ausgangspunkt für Abenteurer, das Schmuckstück des Sultans und später des real existierenden Sozialismus. Der ging allerdings auch am Indischen Ozean baden. Nun heißt die Realität Armut und Abhängigkeit von einer globalisierten Welt. Die Sansibari müssen ihren Takt ändern. Der Effektivmodus wird von außen aufgezwungen.

Aber man ist gerade erst dabei, aufzuwachen. Es ist noch früh am Morgen. Bis die Bewohner der Gewürzinseln ganz munter sind, kann man noch das Geheimnis der anderen Welt spüren. Danken Sie Ihrem Schöpfer dafür, wenn Sie rechtzeitig da waren. Egal ob das Gott ist, Allah oder sonst wer.

Christina Gottschall

Danksagung

Wir bedanken und bei Chande O. Omar von Television Zanzibar, Suleiman M. Hassan, Gosper B. Luoga, Raya Hamad, Raya Rashid und Habiba Khamis für ihre Hilfe und Beratung vor Ort. Außerdem danken wir Dr. Khamis S. Khamis vom Historischen Archiv Zanzibar für das historische Material und bei unseren Kollegen Ingrid Wernich, Peter Weymar und Andreas Greve für ihre fachliche Unterstützung.

Sabine Heilig/Christina Gottschall

Sansibars bester Radweg: Der Strand an der Ostküste
(Foto: Dennis Schaper)

Sansibar in Zahlen

Staatsname: .... Sansibar, bestehend aus den Inseln Unguja (Sansibar) und Pemba, gehört zur Vereinigten Republik Tansania, hat jedoch einen halbautonomen Status.

Staatsform: .... Föderative Präsidialrepublik

Hauptstadt/Regierungssitz: .. Die Hauptstadt von Sansibar ist das historische Stone Town auf der Hauptinsel Unguja.

Präsident der halbautonomen Republik Sansibar: .... Amani Karume (von der Staatspartei CCM)

Internationaler Flughafen: ... Kisauni International Airport/Stone Town

Internationale Mitgliedschaften Tansania: .... UNO und UN-Sonderorganisation, Commonwealth, AKP, WTO, COMESA, SADC, East African Coop. Secret, IORARC.

Bevölkerung: .... Auf Sansibar und Pemba sind ca. 75 Prozent der Bewohner Afrikaner (Bantu- und Bantumischlinge), 13 Prozent Araber und 6 Prozent Asiaten.

Einwohnerzahl: .... Knapp 800.000 (Schätzung v. 2001)

Lebenserwartung: .... Durchschnittlich 48 Jahre

BIP Pro-Kopf-Einkommen: ... US$ 218 pro Jahr

Religion: Der überwiegende Teil der Bevölkerung auf Sansibar ist moslemisch (97 bis 99 Prozent). Der Rest sind u.a. Christen und Hindus.

Landessprache: Swahili (Englisch ist die Verkehrs- und Bildungssprache, die jedoch der Oberschicht vorbehalten ist.)

Lage: Sansibar liegt etwa 40 km vor dem ostafrikanischen Festland im Indischen Ozean.

Landesnatur: Die beiden Inseln Sansibars, Unguja (1.500 km^2) und Pemba (850 km^2) sind flach und bestehen vorwiegend aus Korallenkalken. Die urprünglichen großen Waldbestände sind weit zurückgegangen.

Klima: Es ist tropisch heiß mit Tagestemperaturen von ca. 30 Grad Celsius. Durch die Monsunwinde bedingte tropischen Regenzeiten von März bis Juli und von Oktober bis Dezember.

Währung: Tansania-Shilling

Einreisebestimmungen: Visum

Vorgeschriebene Impfungen: Gelbfieber (Bei Einreise durch ein Infektionsgebiet.)

Prophylaxe: Malariaprophylaxe wird dringend empfohlen.

Historisches

Afrika, die Wiege der Menschheit

In Afrika steht die Wiege der Menschheit. Hier lebten, nach allem was wir bisher wissen, unsere direkten Ahnen. Und das etwa 1000 Meilen von Sansibar entfernt. Zwar ist die Region nicht unbedingt sehr fruchtbar, aber die klimatischen und geographischen Gegebenheiten waren dort vermutlich ideal für die Entwicklung des homo sapiens. Auch Sansibar wurde früh besiedelt. Wahrscheinlich waren die ersten Siedler Fischer, die vom Kontinent aus die Inseln an der ostafrikanischen Küste erkundeten und dann dort blieben, weil es ihnen verständlicherweise recht gut gefiel. Eine genaue Datierung fällt aufgrund fehlender Quellen schwer. Man kann nur vermuten, dass die Fischer bereits 4000 bis 3000 v. Chr. ihrem Handwerk nachgingen.

Die weitere Geschichte Sansibars schrieb der Wind. Denn die Seefahrertradition zwischen der ostafrikanischen Küste, den Golfstaaten und Vorderindien ist wahrscheinlich fast so alt wie die ältesten Versuche der Menschen, mit Mast und Segel zu fahren. Man vermutet, dass die ersten Handelskontakte etwa 3000 v. Chr. begannen. Schriftliche Quellen gibt es allerdings auch aus dieser Zeit keine. Erst 150 n. Chr. tauchten im alexandrinischen Seefahrtshandbuch, in dem die wichtigsten Häfen und Handelsplätze für die ägyptischen Seefahrer verzeichnet waren, die Inseln Sansibar, Pemba und andere Orte an der ostafrikanischen Küste auf. Dem ging eine großartige Entdeckung des Griechen Hippalus voraus: Der Wissenschaftler lüftete das Geheimnis des Indien-Monsuns. Halbjährlich würde dieses großräumige Windsystem seine Richtung wechseln, so sagte er. Und er folgerte daraus, dass es mit Unterstützung des Monsuns möglich sein würde, quer über den Indischen Ozean nach Indien bzw. nach Afrika zu segeln. Er hatte recht. Bis dahin war man nämlich immer in Küstennähe gesegelt, was natürlich eine ganze Ecke länger dauerte. Durch die neue Wasserstraße blühte der Handel auf, und nun begann auch die eigentliche Geschichte Sansibars, die das Land bis heute prägt.

Am Anfang war der Wind

Für nahezu 2000 Jahre segelten die Menschen aus Indien, den Golf-Staaten, Iran, Pakistan, Sri Lanka und den Inseln des Indischen Ozeans einmal jährlich an die ostafrikanische Küste und zurück. Der römisch-indische Überseehandel gewann an Bedeutung und Ostafrika wurde in den antiken Wirtschaftsraum einbezogen. Von dort wurde vorwiegend Mangrovenholz in die Länder des Persischen Golfes exportiert. Dadurch ist diese Holzart prägend für die arabische Architektur geworden. Außerdem wurde Elfenbein und Gold erworben. Die Araber, Inder und Perser brachten im Gegenzug Porzellan, Seide und Gewürze an die ostafrikanische Küste.

Durch die Segelboote und die Monsunwinde sind die Wurzeln dieser Kulturen miteinander verknüpft. Die fantastischen Geschichten von „1001-Nacht" spielten hier, denn regelmäßig ging Sindbad der Seefahrer in Sansibar vor Anker. Die Menschen segelten damals in den traditionellen Holzbooten, den Dhauen, und gingen in den jeweiligen Hafenorten vor Anker, um ihrem Business nachzugehen. Da das Reisen und Handeln damals viel mehr Zeit beanspruchte als heute, vermischten sich die Menschen und noch heute sind viele Spuren der Musik und Kleidung der unterschiedlichen Kulturen in Sansibar zu finden.

Die Händler aus den verschiedenen Ländern mussten sich natürlich auch verständigen. Dadurch entwickelte sich das Swahili als gemeinsame Sprache. Die Seefahrer und Händler waren traditionell Männer, die sich mit Frauen in den Hafenorten verheirateten und vermischten. Sie lagen dort oft monatelang vor Anker, bis die Winde wieder günstig standen und sie weitertrugen. So entstand ein geschlossener Kulturraum, der von Indien bis Ostafrika reichte. Der Küstenstreifen Ostafrikas, vom heutigen Somalia bis zum Kap Delgrado in Mosambik reichend, mit den vorgelagerten Inseln Manda, Paté, Lamu, Sansibar (Unguja), Pemba, Mafia und Kilwa, wurde zur Swahili-Küste, die die Araber und Perser „Zanj al-bar" nannten. Das bedeutete so etwas wie „Land der Schwarzen". Man nimmt an, dass sich der Name Sansibar von diesem Wort ableitet. Die wich-

tigsten Handelsposten in dieser Zeit waren Mogadischu, Malindi und Lamu. Das Hinterland begann etwa 15 bis 80 Kilometer hinter der Küste und war in diese Entwicklung kaum einbezogen. Swahili bedeutet im Arabischen nichts anderes als „Küstenbewohner".
Die ersten beständigen Siedlungen von Persern (den so genannten Shirazis) auf Sansibar entstanden im 7. Jahrhundert n. Chr. bei Unguja Ukuu. Noch heute nennen sich die Leute von der Swahili-Küste auch Shirazi. Eine der vermutlich bedeutendsten Swahili-Städte bestand wahrscheinlich schon im 9. Jahrhundert. Das war Kilwa. Dieser Ort liegt auf einer Insel im Süden der Swahili-Küste und wurde 950 n. Chr. von dem persischen Schiiten Hussein bin Ali aus Shiraz gegründet. Kilwa gewann rasch an Bedeutung und dehnte seine Macht auf Mombasa und Pemba aus.
Wenig später wurde auch die Insel Sansibar besiedelt. Zunächst waren die vorgelagerte Insel Tumbatu und der Südzipfel Kizimkazi Dimbani für die Shirazis interessant. Dort ist heute noch die älteste bekannte Moschee der ganzen Swahili-Küste aus dem frühen 12. Jahrhundert zu sehen.

Der Indische Ozean war zu dieser Zeit sicher ein Art Wasserstraßen-Highway. Doch für viele war es auch ein „Seeweg des Unglücks", auf dem Millionen von Sklaven aus Schwarzafrika in die arabischen Länder transportiert wurden. Zurück brachten die hölzernen Lastensegler nicht nur Handelsgüter, sondern auch die Religion des Propheten Mohammed. Durch den Einfluss der Händler konvertierte im Laufe des 9. Jahrhunderts n. Chr. ein Großteil der Menschen an der Swahili-Küste zum Islam und ab dem 10. Jahrhundert entwickelte sich eine gemeinsame Münzwährung, was den Handel noch mehr zum Blühen brachte. Sansibar war ein fester Bestandteil des Handelsnetzes geworden. Die vorgelagerte Insel Tumbatu wurde zum Hauptort und damit zu einem Knotenpunkt zwischen Kilwa, Asien und der arabischen Welt. Schon damals wurden Sklaven aus dem Inneren Ostafrikas exportiert, außerdem weiterhin Holz, Edelmetalle und Elfenbein. Im Gegenzug wurden Waffen und Stoffe aus Indien, Gewürze aus Indonesien und Luxusartikel aus China an die Swahili-Küste gebracht.

Die Portugiesen kamen mit Gewalt

Als der Seefahrer Vasco da Gama 1497 das Kap der guten Hoffnung umsegelte, begann eine neue Zeitrechnung. Denn er erschloss für Portugal endlich den lange gesuchten Seeweg von Europa nach Indien. Eine Revolution für den europäischen Handelsmarkt. Auf dem Rückweg 1498 kam seine vier Schiffe umfassende Flotte an einer großen, schönen Insel vorbei. Das war Sansibar. Zwar hatten schon vorher andere Seefahrer von der sagenumwobenen, reichen Insel im Indischen Ozean berichtet, aber sie hatten auf ihren Reisen vermutlich nur in der nächtlichen Rauscherei einer Hafenpinte davon gehört. Denn die Berichte waren wenig spezifiziert und entsprachen eher der Entrückung unzähliger Runden alkoholischer Getränke als der Wahrheit.
Auch Vasco da Gama war von dem Reichtum der Swahili-Städte sehr angetan und wurde, nach einigen Auseinandersetzungen der harmloseren Art, am Hof von Malindi herzlich begrüßt. Man hoffte hier allerdings eher auf langfristige Handelsbeziehungen, als darauf, dass die Portugiesen schon so bald das Kriegsbeil ausgraben würden. Letzteres wurde aber leider Realität. Zunächst jedoch nutzte Vasco da Gama die freundschaftlichen Kontakte, um Lagerhäuser auf Sansibar zu errichten. Denn um nach Indien zu segeln, brauchten die portugiesischen Flotten einen Platz zum „Zwischenlanden", um Wasser und frischen Proviant zu laden, und Sansibar war von der geographischen Lage her ideal dafür geeignet.

Doch Portugal wollte mehr. Schon bald versuchten die Portugiesen die reichen Swahili-Städte zu plündern. Das Ziel: Den Gold- und Elfenbeinhandel zu kontrollieren. Sie zerschlugen Handelsverbindungen und zerstörten Malindi, Kilwa und Sofala. Den Quellen nach fand der erste Angriff Portugals auf Sansibar schon im Jahre 1505 statt. Ziemlich überraschend und ohne Vorwarnung versenkten portugiesische Galeonen einige Dhauen im Hafenbecken und bombardierten auch gleich noch die Hafenfront, nachdem sich der Sultan bei Admiral Francisco de Almeida darüber beschwert hatte. Die brutale Vorgehensweise der Portugiesen hatte Erfolg. Sie kontrollierten fortan den Handel der Swahili-Städte und bauten 1589 ein Fort bei Chake Chake auf Sansibars Schwesterinsel Pemba. Die

Machtphase war jedoch kurz. Zwar schaffte man es, der Blütezeit der Swahili-Kultur ein Ende zu bereiten, aber auf Dauer gelang es den Portugiesen nicht, sich als Kolonialmacht zu etablieren. Abgesehen davon, dass sie ein paar neue Nutzpflanzen wie Mais, Süßkartoffeln, Ananas, Kakao und Papaya einführten, hinterließen sie wenig Spuren und trugen noch weniger zur Entwicklung der Region bei. Da die damalige Seefahrernation bei ihren Streifzügen durch die Weltmeere auch an anderen Fronten kämpfte, erlagen sie im Jahr 1698 den Arabern aus dem Oman. Damit ging die portugiesische Ära sang- und klanglos zu Ende.

Geschichte modern

Der sansibarische Rapper Cool Para hat die Geschichte seiner Insel in einem Song auf seine Weise auf den Punkt gebracht. Seine Musik ist ein Mix aus dem traditionellen Taarab und modernem Rap. Das jährlich stattfindende "Festival of the Dhau Countries" gibt ihm die Chance, Musiker aus anderen Ländern zu treffen und sich weiter zu entwickeln. Cool Para lebt in Stone Town und hat im Jahr 2000 den Tansania Music Award als bester Diskjockey gewonnen.

Cool Para ist 23, heißt eigentlich Ali Achmed Khamis und rappt gemeinsam mit den Brüdern Mzee Yusuf und Khadija Yusuf.

Text:
nasikitika moyoni
niulize kwa nini
mambo yaliyotokea zamani
utawala wetu chini ya masultan
East Africa na West Africa
watumwa waliteseka
bila kutarajika Wareno hivi jamani
walifanya maskani hapa kwetu Tanzania
hapa Zanzibar palikuwa na balaa
Waarabu kipaumbele waliingia tele
walihodhi mali yetu na kila kitu chetu
hata uhuru wetu pia walitunyang'anya
tukaonekana kama hatuna maana
hatujawasamehe hadi kesho kiyama
nani afanana kama S. Karume
alipinga unyonyaji
na ubadilifu hapa kwetu Zanzibar
vilikuwa maarufu
ndivyo come on hivyo ndivyo
tuitunze historia

Frei übersetzt bedeutet der Text etwa:
Ich bin sehr traurig, fragt mich mal warum. Es geht um unsere Vergangenheit, um die Sklaverei in Ost- und Westafrika unter den Sultanen. In Sansibar herrschte Unheil: Nicht nur, dass die Sklaven ausgebeutet wurden, dann machten sich auch noch die Portugiesen bei uns in Tansania breit und die Araber kamen in Massen. Sie haben uns unsere Freiheit entrissen und unser Vermögen. Es schien so, als ob wir völlig bedeutungslos wären. Wir werden das nie verzeihen. Aber dann kam der einmalige S. Karume und widersetzte sich der Unterdrückung. Und die Veränderung machte Geschichte.
Ja, come on, das ist unsere Geschichte.
Wir werden sie nicht vergessen.

Die Omanische Zeit

Angelockt durch den Reichtum der Küste brachten die Omanis und die indischen Händler nach und nach die gesamte ostafrikanische Küste unter ihre Kontrolle. In Sansibar wurde an der Stelle der ehemaligen portugiesischen Kirche ein Fort errichtet; ein christliches Gotteshaus brauchte man ja ohnehin nicht. Im Jahr 1840 erschien es dem Sultan von Oman lohnenswert, seinen Sitz von Muskat gleich ganz nach Sansibar zu verlegen, denn das Land war fruchtbar, die strategische Lage günstig. Der Sklavenhandel ließ sich von dort aus viel besser organisieren, da Sansibar im Gegensatz zur omanischen Hauptstadt Muskat einen Tiefseehafen besaß, den selbst Dampfschiffe anlaufen konnten.

Der Handel mit den Menschen erlebte deshalb wenig später einen erneuten Aufschwung, denn für die zahlreichen neu angelegten Dattelplantagen brauchte der herrschende Sultan Said bin Sayyed (1806-1856) auch gleich billige Arbeitskräfte. Die restlichen Sklaven wurden vorwiegend nach Mauritius und La Réunion verschifft, wo sie französische Zuckerrohrplantagen bewirtschaften sollten.

Der Sultan gewann an Einfluss und entmachtete rasch die noch herrschenden Shirazis. Damit stieg Sansibar zum bedeutendsten Swahili-Gebiet auf. Anfang des 19. Jahrhunderts entdeckte man zudem einen neuen Erwerbszweig: Gewürznelken. Mit Pflanzen aus Mauritius wurden große Nelkenplantagen angelegt, die unter der Sonne Sansibar prächtig gediehen, aber natürlich auch bewirtschaftet werden mussten. Dadurch erhielt der ohnehin blühende Sklavenhandel noch mehr Aufschwung, denn allein durch die Sklavenarbeit wurde der Gewürzhandel lukrativ und verhalf der kleinen Insel im Indischen Ozean zu dem Ruhm, der noch heute im Namen Sansibar mitklingt.

Während dieser Zeit wanderten viele Omanis nach Sansibar aus. Außerdem gab es noch einen weiteren Einwandererstrom: Die Banyans, die nicht-muslimischen Händler aus dem westlichen Indien. Der Wirtschaftsstandort Sansibar lockte Spekulanten, Händler und Glücksritter an. Er war der größte Umschlagplatz für

Elfenbein und des würdelosen Menschenhandels in Ostafrika. Der Sultan allein besaß 45 Plantagen, die über die ganze Insel verstreut waren. Auf jeder Plantage arbeiteten zwischen 50 und 500 Sklaven, die von Arabern beaufsichtigt wurden. Sansibar war Drehscheibe des Handels zwischen der arabischen und europäischen Welt. Denn quasi zeitgleich mit der Verlegung des Sultansitzes öffneten die USA im Jahr 1837, Großbritannien 1843 und Frankreich 1846 ihre Konsulate in Sansibar und traten damit ins Konzert der Mächte ein. Am 7. Januar 1844 soll der erste Deutsche nach Sansibar gekommen sein. Er wurde vom britischen Konsul begrüßt, vom amerikanischen Konsul beherbergt und vom Sultan umgehend empfangen. Später wurden Handelshäuser von Belgiern, Holländern und Deutschen errichtet, unter anderem das Hamburger Handelsunternehmen William O'Swald & Co, dessen Haus noch heute in Stone Town zu sehen ist. Im Jahre 1860 wurde Johann Witt aus dem O'Swaldschen Unternehmen der erste deutsche Konsul in Sansibar. Der Sultan pflegte gute Kontakte zu den Europäern und Amerikanern, denn schließlich wollten alle profitable Geschäfte machen. Und das gelang ihnen auch: mit Ware und mit Menschen.

Sansibar wird zum Sultansitz

Als der Sultan Sayyed Said im Jahre 1856 starb, war die Insel Sansibar nicht nur das größte Nelkenanbaugebiet der Erde, sondern auch führend im Elfenbein- und Sklavenhandel. Kein Wunder also, dass sich die Söhne des Sultans um das Erbe stritten. Die Folge war, dass Sansibar, nun von Majid bin Said geführt, ein eigenes Sultanat wurde. Zwar hatte zunächst der 19-jährige Sohn Bargash versucht, die Macht an sich zu reißen, aber er wurde von seinem älteren Bruder durch eine militärische Aktion schnell aus dem Spiel geworfen. Die Erbstreitigkeiten dauerten an, bis die Briten, welche die Kontrolle über den Seeweg nach Indien behalten wollten, intervenierten, und Sultan Majid bin Said blieb der Herrscher über Sansibar. Das Sultanat Oman dagegen wurde nun von Sultan Thuwani regiert.

Selbst als die Engländer anfingen den transatlantischen Sklavenhandel zu zerschlagen, lief er auf Sansibar immer noch auf Hochtouren weiter. Sansibars Sklavenhändler waren auf die lukrative Menschenjagd in Zentralafrika speziali-

Sultan Bargash bin Said, der Bruder von Prinzessin Salme von Sansibar und Oman

siert, um ihre Beute dann an Sklavenkarawanen zu verkaufen. Insbesondere durch indische Bankiers wurden die aufwendigen Exkursionen finanziert. Die Sklavenhändler waren meistens hoch verschuldet und von der indischen Oberschicht abhängig. Im 19. Jahrhundert befand sich auf Sansibar vermutlich der größte Sklavenmarkt der Welt. Mehr als drei Millionen Menschen wurden in diesem Jahrhundert nach Sansibar verschleppt, um von dort aus verschifft zu werden. Ein blendendes Geschäft.

Doch die Engländer gewannen zunehmend an Macht. Der seit 1870 regierende Sultan Sayyed Bargash hatte großes Interesse an freundschaftlichen Beziehungen mit den Briten und willigte am 5. Juni 1873 in einen Vertrag ein, der den Sklavenhandel verbot. Dieser Einwilligung war allerdings viel politischer Druck und eine britische Seeblockade des Hafens von Sansibar vorausgegangen. Der Sultan sah keine Möglichkeit mehr, die lukrative Einnahmequelle der Sklaverei zu halten, ohne einen Krieg zu riskieren, den er sicher nicht gewonnen hätte. Deshalb wurden nun alle Sklavenmärkte geschlossen. Aber durch das Verbot der Sklaverei wurde die Situation der weiterhin verschleppten Menschen noch schlimmer. Auf überfüllten Schiffen zusammengedrängt, wurden sie bei Nacht nach Sansibar geschafft und in Höhlen versteckt. Wenn während der Überfahrt Kontrollschiffe nahten, wurden die Menschen einfach über Bord geworfen. Und obwohl Sklaven nicht mehr offiziell verkauft werden durften, war es trotzdem möglich, Arbeitssklaven zu besitzen.

Als Folge einer Cholera-Epidemie in den Jahren 1869/70 starb in Sansibar etwa ein Drittel der Bevölkerung. Zudem zerstörte 1872 ein Hurrikan einen Großteil der Nelkenplantagen. Er beschädigte fast alle Häuser an der Meeresfront und zerstörte die ohnehin nicht so zahlreichen Kriegsschiffe des Sultans Bargash. Die Folge: Die Landbesitzer auf Sansibar waren ruiniert und die Position der Sultansfamilie schwer angeschlagen. Erst 1897 wurde von Sultan Hamoud ein Dekret unterzeichnet, das die menschenverachtende Praxis des Sklavenhandels verbot.

Auf den Gewürzplantagen wurde mit Sklavenarbeit ein Vermögen gemacht

Sklavenhandel auf Sansibar

Die Wörter Sklavenhandel und Sansibar werden so oft in einem Atemzug genannt, dass man meinen könnte, er wäre in Sansibar erfunden worden. Das stimmt nicht ganz, denn das schnelle Geschäft mit Menschen zählt zu den ältesten Handelsgewerben der Welt und lässt sich bis in die Zeit der Pharaonen zurückverfolgen. Die ersten Nachweise von Sklavenhandel in Ostafrika tauchten im 1. Jahrhundert n. Chr. auf, als afrikanische „Qualitätssklaven" ins römische Ägypten gebracht wurden. Ebenso wie im Christentum wurde der Menschenhandel im Islam weder gerechtfertigt noch verhindert. Allerdings regulierte der Islam die Behandlung von Sklaven durch spezielle Verhaltensregeln. So war z.B. die Versklavung von Moslems verboten, und eine Sklavin, die mit ihrem Besitzer ein gemeinsames Kind hatte, war nach dessen Tod frei. Ihre Kinder hatten einen normalen Erbanspruch. Das war ein entscheidender Unterschied zu der Behandlung der Sklaven im Christentum, wo Mulattenkinder niemals von den weißen Herren als gleichwertig anerkannt wurden.

Trotzdem ist der Sklavenhandel das dunkelste Kapitel in der Geschichte Sansibars. Im 19. Jahrhundert befand sich hier der größte Sklavenumschlagplatz der Welt. Karawanen drangen ins afrikanische Hinterland vor, um dort ganze Dörfer oder Volksstämme gefangen zu nehmen. Wer die Reise aus Zentralafrika überhaupt überlebte, wurde mit mindestens 200 Leidensgenossen zusammengepfercht und in einer Dhau auf die Insel Sansibar gebracht. Die Hälfte der gefangenen Menschen blieb direkt auf der Insel, ein Drittel wurde nach Kenia und Somalia exportiert und die Verbleibenden in den Vorderen Orient. Auf dem 1811 eröffneten Sklavenmarkt in Stone Town wurden zeitweise bis zu 40.000 Menschen pro Jahr als Haussklaven, Plantagenarbeiter oder Konkubinen verkauft. Da viele Afrikaner aufgrund der Unterernährung und der Misshandlungen starben, musste laufend für Nachschub gesorgt werden. Der katholische Missionar Horner lebte 1863 direkt neben dem Geschehen: „Nur wenige Schritte von unserem Haus entfernt ist der Sklavenmarkt; es ist ein ziemlich großer Platz mitten in der Stadt. Da befinden sich durcheinander Männer, Weiber, Kinder, welche größtenteils abgemagert sind bis auf das Gerippe. Die reinste Vertierung erscheint auf fast allen Gesichtern dieser Unglücklichen; die Knie mit den Armen umfassend, damit der Leib in Folge der Schwäche nicht rückwärts falle, sitzen sie da und haben nichts Menschliches an sich als den Ausdruck unaussprechlichen Leidens." Der britische Afrikaforscher Livingstone beschreibt den Sklavenmarkt im Jahr 1866, als der Handel bereits rückläufig, aber nicht weniger grausam war: „Es waren ungefähr 300 Individuen, die meisten vom Shire-Fluss und vom Nyassa-See. Die Erwachsenen schienen es als Schande zu empfinden, wie Vieh verkauft zu werden. Die Käufer prüften das Gebiss, hoben die Kleider hoch, um die Beine zu sehen oder warfen auch dann und wann einen Stock, den der Sklave zurückholen musste, damit man seinen Gang beobachten konnte." Bevor man sich handelseinig wurde, legte man den Sklaven noch über einen Prügelbock und schlug ihn mit einem Stock; so sollte seine Widerstands- und Reaktionsfähigkeit getestet werden.

In einem Keller, der heute unter dem Santa Monica Hotel am ehemaligen Sklavenmarkt zu sehen ist, wurden auf nur wenigen Quadratmetern bis zu 50 Frauen, Männer und Kinder zusammengepfercht, wo sie an Eisenringe gekettet auf den Verkauf warten mussten. Noch im Jahr 1870 zahlte der berühmte Sklavenhändler Tippu Tip für einen jungen Arbeitssklaven im Inneren Afrikas etwa DM 2,50. Auf dem Sklavenmarkt wurde er dann schon für DM 50 bis 100 gehandelt. Als der Sklavenhandel 1873 auf Druck des englischen Empire hin offiziell verboten wurde, errichtete man auf dem Platz des Sklavenmarktes eine anglikanische Kirche. Ihr Altar steht an der Stelle, wo vorher der Prügelbock platziert war. Danach ging der Sklavenhandel versteckt weiter. Die Sklaven wurden nun bei Nacht auf die Insel geschafft und in einer der feuchten Höhlen bei Mangapwani im Norden der Insel untergebracht. Als die Sklaverei 1897 endgültig abgeschafft wurde, dauerte es noch etwa zehn Jahre, bis alle ehemaligen Sklaven ihre Papiere hatten und als freie Menschen leben konnten.

„Dr. Livingstone, I presume?"

Da ist doch kaum ein anderer Satz aus den Reisewerken der Afrika-Entdecker so populär geworden wie diese steife Frage des jungen amerikanischen Journalisten Henry M. Stanley. Es war am Freitag, den 10. November 1871, als er den seit zwei Jahren verschollenen Forscher Livingstone halb verhungert und schwer krank am Ostufer des Tanganyka-Sees fand. Stanley gab Livingstone daraufhin die Hand und sagte laut: *„Ich danke Gott, dass Sie mir gestatten, Sie zu sehen."* Für den schwer kranken Livingstone war das die Rettung in letzter Minute. Er war seit 1866 im Auftrag der „Royal Geographical Society" unterwegs, um die wirkliche Quelle des Nils zu suchen.

Livingstone schrieb über diese Begegnung in sein Tagebuch: *„Ich bin bis zum Skelett abgemagert“*, und wenig später *„Als jedoch meine Niedergeschlagenheit den höchsten Grad erreicht hatte, war der gute Samariter wirklich dicht bei mir. [...] Eines morgens kam Susi gerannt und rief mir, nach Atem schnappend, schon von ferne zu: 'Ein Engländer! Ich sehe ihn!' Damit stürzte er wieder fort und ihm entgegen. Die amerikanische Flagge an der Spitze einer Karawane verkündete die Nationalität des Fremden. Warenballen, zinnerne Badewannen, große Kessel, Kochtöpfe, Zelte usw. ließen mich denken 'Das muss ein sehr gut ausgestatteter Reisender sein, und nicht einer, der mit seinem Witz zu Ende ist, wie ich'. Es war Henry M. Stanley, der reisende Korrespondent des New York Harold, den James Gordon Bennett jun. mit einem Kostenaufwand von über 4000 Pfund ausgesandt hatte, um genaue Erkundigungen über Dr. Livingstone einzuziehen, falls ich noch lebe, und falls ich tot sei, meine Gebeine nach Hause zu bringen.“*

Die Bücher und Reiseberichte der Männer, die in den damals noch völlig unerforschten Kontinent vordrangen, wurden zu dieser Zeit von der westlichen Welt verschlungen. Und alle Expeditionen hatten eines gemeinsam: Sie starteten von Sansibar aus, denn ebenso wie für die Sklavenhändler war die Insel auch für die Forscher das Tor zum Schwarzen Kontinent. Männer wie Richard Burton, John Speke, David Livingstone, Albert Roscher und Baron von Decker gaben sich hier die Klinke in die Hand und rüsteten ihre Karawanen, um die sagenumwobene Quelle des Nils zu finden. Im Livingstone-Haus befindet sich seit der Revolution die Zanzibar Tourist Cooperation. Livingstone lebte dort, bevor er sich auf diese letzte Expedition begab, bei der er schließlich starb. Aber auch andere Forscher bereiteten sich hier auf die großen Reisen vor.

Deutsche Kolonialpolitik in Ostafrika

Bis zur Gründung des Deutschen Reiches 1871 hatten sich die Teutonen unter Kaiser Wilhelm und Otto von Bismarck zunächst fast gar nicht für Kolonialpolitik interessiert. Unter dem wachsenden Druck deutscher Händler meldete das Reich im Wettstreit um die wertvollen Gebiete dann doch noch Ansprüche an. Inzwischen hatte 1884 der „Berliner Kongress" stattgefunden, auf dem der afrikanische Kontinent unter den späteren Kolonialmächten aufgeteilt wurde. Das heutige Tansania Festland, außerdem Ruanda und Burundi wurden durch die Aktivitäten der Deutsch-Ostafrika-Gesellschaft (DOAG) von Dr. Carl Peters zu deutschen Kolonien. Das Gebiet ging unter dem Namen Deutsch-Ostafrika in die Geschichte ein und wurde konsequent ausgebeutet. Mit dem Sultan von Sansibar schloss der clevere Geschäftsmann Peters für Tanganyika (also das spätere Tansania Festland) einen fünfzigjährigen Pachtvertrag ab. Dass sich Deutschland ab 1918 aus dem „Geschäft" mit dem afrikanischen Kontinent zurückzog, geschah nicht etwa aus einem verspäteten Unrechtsbewusstsein. Vielmehr hatten die Deutschen den Ersten Weltkrieg angezettelt und verloren und mussten „ihr" Deutsch-Ostafrika an die Siegermächte abtreten.

Sansibar und die Briten

Am 1. Juli 1890 wurde Sansibar zum britischen Protektorat erklärt. Die omanische Sultansfamilie blieb auf Sansibar und konnte ihren Status behalten, allerdings war ihre politische Macht nun eingeschrankt, insbesondere weil sie auch noch Gebietsverluste auf dem Festland hinnehmen mussten und ab 1897 der Sklavenhandel als Einnahmequelle ganz wegfiel. Hinzu kam, dass Sultan Bargash 1888 gestorben war und seine Nachfolger, Khalifa bin Said und Ali bin Said, nach jeweils kurzer Amtszeit starben. Als am 26. August 1896 auch Hamad bin Tuwaini an Malaria erkrankte und starb, sollte auf Befehl des britischen Konsuls der Cousin Hamud zum Sultan ernannt werden.

Doch das gab Ärger: Der leer ausgegangene Khaled bin Bargash stürmte sofort mit 2000 Leuten den Sultanspalast. Er verbarrikadierte sich darin und hisste die rote Flagge des Sultans. Die Briten stellten ihm gelassen ein Ultimatum: Bis zum nächsten Tag, am 27. August um 9 Uhr, sollte der Palast geräumt sein. Im Morgengrauen fuhr die englische Flotte vor der Seefront von Stone Town auf. Wie

Stone Town 1896 um 9.45 Uhr:
Der Sultans-Palast nach dem Bombardement der Briten

es im Orient üblich ist, sandte Khaled bin Bargash einen Unterhändler aus, um die Verhandlung zu eröffnen. Dieser wurde jedoch abgewiesen. Pünktlich um 9.02 Uhr donnerten die ersten Kanonen von britischen Schiffen von der Seefront auf den Sultanspalast. Innerhalb von 45 Minuten lag der Palast einschließlich des Harems und des Beit-el-Ajaib in Trümmern. Viele Anhänger Khaleds kamen bei dem Bombardement ums Leben. Er selber konnte gerade noch durch die engen Gassen von Stone Town entkommen. Er floh auf dem deutschen Kriegsschiff „Seeadler“ nach Dar es Salaam, wo er Asyl bekam. Noch am gleichen Tag wurde der von den Briten auserwählte Sayyed Hammoud bin Mohammed zum Sultan erklärt. Diese Auseinandersetzung ging als der „kürzeste Krieg in der Weltgeschichte“ ins Guiness-Buch der Rekorde ein.

Der Helgoland-Sansibar Vertrag: Die Geschichtslüge

Sansibar, die Perle des Indischen Ozeans, und Helgoland, der Fels in der Nordsee, sind durch eine Laune der Geschichte irgendwie miteinander verbunden. Bis heute glaubt man in Deutschland, Helgoland sei gegen Sansibar eingetauscht worden: 1,7 Quadratkilometer Buntsandstein in der Nordsee gegen 1700 Quadratkilometer Muschelkalk im Indischen Ozean.

Das ist historisch falsch, auch wenn es so in Schulbüchern steht. Der Tausch war weitaus schlechter. Und Sansibar war zu keinem Zeitpunkt in deutscher Hand. Es war lediglich deutsches sowie englisches Protektorat, was soviel heißt, man hatte sich unrechtgemäß breitgemacht, um den eigenen Handel zu sichern. Sansibar wurde aber weiterhin vom Sultanat regiert. Was der deutsche Reichskanzler General Graf Leo Caprivi beim Helgoland-Sansibar Vertrag vom 1. Juli 1890 ausgehandelt hatte, erschien den Deutschen damals wahrscheinlich schlimmer als ein Eigentor bei einer Weltmeisterschaft im Fußball.

Sogar der britische Afrikaforscher Henry Morton Stanley meinte dazu spöttisch: *“Man hat einen Knopf gegen eine Hose gegeben.“* Und der Begründer der Deutsch-Ostafrika-Gesellschaft Carl Peters befand ungehalten, dass man das wahrscheinlich reichste Königreich in Ostafrika, nämlich Buganda, (heute

Teile von Uganda) gegen eine Badewanne in der Nordsee eingetauscht habe. Denn in dem besagten Vertrag gestand das Deutsche Reich den Briten das alleinige Protektorat über Sansibar zu. Gleichzeitig verzichtete es zugleich auf die soeben von der Deutsch-Ostafrika-Gesellschaft erworbenen Schutzgebiete Witu/Kenia und das Königreich Buganda.

Im Tausch gegen diese riesigen Gebiete auf dem afrikanischen Kontinent bekam Deutschland die Insel Helgoland. Zudem erhielt Deutschland den Caprivi-Zipfel, der als Verbindung zwischen dem damaligen „Deutsch-Südwest“ (heute Namibia) und Rhodesien (heute Zimbabwe) notwendig schien, sowie einen Pachtvertrag von 99 Jahren für den Küstenstreifen an der ostafrikanischen Küste, der immer noch dem Sultan von Oman und Sansibar gehörte.
Dem zahlte man dafür noch vier Millionen Reichsmark. Der Altkanzler Bismarck schrieb dazu: *„Es war den Engländern gar nicht eingefallen, von uns den Verzicht auf Sansibar* (das Protektorat) *zu erlangen oder zu erwarten [...] Die Engländer in Sansibar waren selbst bei der ersten Nachricht vom Vertrag überzeugt, dass sie irrtümlich sei, weil nicht zu begreifen sei, weshalb wir eine solche Konzession hätten machen können [...]. Der Wunsch, Helgoland zu besitzen und England gefällig zu sein, erklären den Abschluss des Vertrages.“*
Die Realität war, dass der britische Besitz des Felsen vor der Deutschen Küste, auf dem Hoffman von Fallersleben schon 1841 das Deutschlandlied gedichtet hatte, so unangenehm war, dass man wahrscheinlich alles dafür getauscht hätte. Heute pflegen beide Inseln freundschaftliche Kontakte. Abgesehen von materiellen Hilfeleistungen und Informationsabenden werden regelmäßig über die evangelische Kirche Austauschbesuche organisiert, bei denen Helgoländer staunend das Gewürzparadies besuchen und Sansibari im kalten Nordseewind in Strandkörben sitzen und Eiergrog probieren.

Das 20. Jahrhundert

Der arabischen Oberschicht war es gelungen, ihre soziale Stellung, einen Teil ihrer Reichtümer und vor allem das Sultanat ins neue Jahrhundert hinüberzuretten. Aber Sansibars Politik stand nun unter britischer Führung. Vom Jahr 1911 an hieß der Sultan Khalifa bin Harub. Er lenkte das Land in Abstimmung mit der Kolonialmacht sehr diplomatisch durch die Wirren der nächsten 50 Jahre. Im Gegensatz zum Festland Tansania blieb Sansibar von den Kämpfen des 1. Weltkrieges weitgehend verschont. Nur ein paar schlichte Gräber auf Grave Island zeugen von der einzigen Schlacht, die vor den Toren Sansibars stattgefunden hat. Dort liegen britische Soldaten des Kriegsschiffes „Pegasus" begraben. Die Deutschen hatten das Schiff direkt vor der Insel Sansibar versenkt.

Tansanias Festland wurde im Laufe der nächsten Jahrzehnte langsam und unter Schwierigkeiten und Auseinandersetzungen von der Kolonie zum eigenständigen Staat. Bei den ersten freien Wahlen 1958/59 erlangte Julius Nyrere einen historischen Sieg, wenig später wurde er zum Staatspräsident gewählt. Der charismatische Politiker setzte sich kritisch mit den westlich-kapitalistischen Entwicklungsstrategien auseinander. Er entwickelte daraufhin den so genannten Ujamaa Sozialismus, dessen Grundlage er 1967 in der „Arusha-Declaration" vorstellte. Ein zentraler Bestandteil des Konzeptes war die „self-reliance", das langfristige Vertrauen in die eigenen Kräfte und Ressourcen. Die wichtigsten Ziele des tansanischen Sozialismus waren die Vergesellschaftung von Produktionsmitteln, die Angleichung des Einkommensniveaus und die Beendigung der Abhängigkeiten und der Ausbeutung. Außerdem sollte das Gesundheits- und Bildungswesen für alle Menschen zugänglich sein. Julius Nyreres politische Ideen galten zeitweise als Modell für die Dritte Welt und haben das Selbstbewusstsein von Entwicklungsländern über Afrika hinaus gestärkt.

Die sansibarische Revolution

Sansibar hatte während dieser Zeit andere Sorgen. Die Pfefferpreise waren im Keller, Sklaven gab es keine mehr und die Monokulturen der Nelken sorgten für Versorgungsengpässe. Für die Briten war Sansibar weder wirtschaftlich noch strategisch interessant, so dass sich ihre Investitionen sehr in Grenzen hielten. Allerdings gestatteten sie auch hier eine reglementierte Mitsprache der Bevölkerung. 1957 fanden die ersten freien Wahlen auf der Insel statt. Die Bevölkerung war weiterhin einerseits unterteilt in eine arabisch-indische Oberschicht, die sowohl Besitz als auch Know-how hatte und andererseits in eine afrikanische Unterschicht. Der fehlte beides. Das Sultanat bestand noch, war aber bedeutungslos geworden. 1963 wurde Sansibar in eine konstitutionelle Monarchie überführt. Der Festlandstreifen, der immer noch zu Sansibar gehörte, musste abgetreten werden. Am 4. Januar 1964 wurde die marxistische Partei vom Sultan Jamshid verboten und deren politische Sympathisanten aus dem Staatsdienst entlassen. In der Nacht vom 11. auf den 12. Januar 1964, im ersten Drittel des Fastenmonats Ramadan, entlud sich die angestaute Wut. Nach dem traditionellen Mitternachtsmahl, dem Daku, wurde auf dem Kiswandui-Platz durchgesungen und -getanzt. Im Morgengrauen entflammten die Rachegelüste und endeten mit einem Gemetzel, das 14. 635 Menschen das Leben kostete. 80 bis 90 Prozent waren Araber und Inder. Schon am 12. Januar 1964 wurde triumphierend die Volksrepublik Sansibar ausgerufen; die seit Jahrhunderten etablierte arabische Herrschaftsclique sowie die reichen indischen Händler verließen fluchtartig das Land.

Frischgebackene Helden: Die Revolutionsführer von 1964

Sansibar inmitten der deutsch-deutschen Geschichte

Die Revolution in Sansibar fiel in die Zeit des Kalten Krieges. Die Mauer in Berlin war seit einem Jahr völlig undurchlässig geworden. Zwischen den beiden deutschen Staaten wurde eisige Funkstille kultiviert. Durch eine zufällige Laune der Geschichte wurde auch Sansibar Nebenschauplatz der deutsch-deutschen Streitigkeiten. Salopp gesagt, Ossis gegen Wessis, und andersrum. Der westdeutsche Botschafter Schroeder befürchtete schon im Januar 1964, dass die DDR in Sachen Sansibar versuchen würde, einen Fuß in die Tür zu bekommen. Er hatte recht. Wenige Tage nach der blutigen Revolution saß Markus Wolf, der berüchtigte Leiter des DDR-Geheimdienstes mit falschem Backenbart und falschem Pass im Flugzeug nach Sansibar, die Noten der DDR-Nationalhymne im Gepäck. Die Deutsche Demokratische Republik hatte die Republik Sansibar schon einen Tag nach der Revolution anerkannt. In Bonn dagegen wollte man erst mal abwarten. Nur befürchtete man das Schlimmste: Dass die DDR als erste die diplomatischen Beziehungen aufnehmen würde. Obwohl die BRD die DDR nicht als eigenen Staat anerkannt hatte. Vielmehr bezeichnete man die heute „neuen Bundesländer“ als einen Teil Deutschlands unter sowjetischer Führung.

1955 erklärte Kanzler Konrad Adenauer, dass die BRD es als unfreundlichen Akt verstehen würde, wenn irgendein Land diplomatische Beziehungen zu diesem Teil Deutschlands aufnehmen würde. Diese so genannte „Hallstein-Doktrin“ blockierte die Anerkennung der DDR bis in die 70er Jahre hinein. Eine deutsche Botschaft gab es nur da, wo die DDR nicht vertreten war. Bonn wollte sozusagen einen deutschen Alleinvertretungsanspruch.

Ausgerechnet ein Zwergstaat, der aus zwei Nelkeninseln bestand, trotzte als erstes nicht-sozialistisches Land der Hallstein-Doktrin, indem er die DDR etwa 10 Tage nach der Revolution anerkannte. Denn bereits 1962, als Sansibar immer noch britisches Protektorat war, war in Ostberlin ein „Konzept zur Entwicklung von Beziehungen zwischen Sansibar und der DDR“ erarbeitet worden.

Man vermutete, dass Sansibar wegen seiner geringen politischen und ökonomischen Bedeutung nicht im Zentrum des westdeutschen Interesses stehen würde. Deshalb wollte die DDR den Staat Sansibar anerkennen, sobald dieser die Unabhängigkeit erlangt hätte. Dabei ging es den sozialistischen Brüdern nicht um das Mini-Land im Indischen Ozean, sondern um die ganz große Mission: Denn von Sansibar aus wollte der real existierende Sozialismus die Dritte Welt erobern. Sansibar war für die Deutsche Demokratische Republik der erste Schritt in Richtung Afrika. Durch einen recht geschickten Schlingerkurs brachten die Sansibari zwar beide deutschen Staaten dazu, Sansibar als Land anzuerkennen, aber schließlich bekam die DDR den Zuschlag. Mit ihr wurden die diplomatischen Beziehungen aufgenommen. Hinterlassen haben die „Ossis" einen überdimensionierten Geheimdienstapparat und eine Plattenbausiedlung in Stone Town. Berlin-Marzahn unter Palmen.

In seinen 1997 erschienen Memoiren beschreibt Markus Wolf die Mission kritisch: *„Von heute aus mag man unser ganzes Engagement in den Ländern der Dritten Welt als gescheitert betrachten. Sozialistische Ökonomen wie kapitalistische Fachleute warnen seit langem davor, ethnische Traditionen und die sehr unterschiedlichen Entwicklungsbedingungen in Wirtschaft, Kultur und Bildung zu ignorieren."* In den 60er und frühen 70ern sah man das natürlich noch nicht so. Da ging es ganz einfach darum, der DDR Anerkennung in der nichtsozialistischen Welt zu verschaffen. Abschließend schreibt der Spionagechef a. D. über eine negative Folge der Unterstützung: *„Der Sicherheitsapparat Sansibars nahm eine für das kleine Land unverhältnismäßige Größe an. Wir hatten es zu gut gemeint [...]."* Man hatte nämlich die ohnehin schon überdimensionierten Strukturen des DDR-Geheimdienstes einfach auf die Mini-Insel Sansibar übertragen. Diesen Geheimdienstapparat gibt es übrigens noch heute. Nicht etwa weil man ihn bräuchte, sondern weil sich jemand verantwortlich erklären müsste, ihn aufzulösen. Und wer sollte das schon tun?

Natur

Geologie

Als die Erde in ihren besten Jahren war, nämlich im so genannten „Erdmittelalter", entstanden die Gewürzinseln im Indischen Ozean.
Das Gebiet lag während der Jurazeit noch unter dem Meeresspiegel und hat sich über einen Zeitraum von mehreren Millionen Jahren angehoben. Im Verlauf des Hebeprozesses formten sich auch Korallenriffschollen, die langsam aus dem Meer auftauchten.
Das gesamte Küstenvorland von Tansania, zu dem auch die Inseln Sansibar, Pemba und Mafia gehören, besteht aus Korallenkalken mit lehmigen und sandigen Böden. Die korallenartigen Hänge deuten darauf hin, dass die Inseln lange Zeit unter dem Meeresspiegel lagen. Die östliche Küste Sansibars, genauer gesagt Ungujas, besteht aus verkarstetem Korallengestein, das ein verkarstetes Ödland bildet. Die Küstenlinie ist dort von feinstem Sand. Von Norden nach Süden verläuft ein vorgelagertes Korallenriff, das heute ein bevorzugtes Tauchgebiet geworden ist. Die Westküste hat fruchtbare Lehmböden, die nur teilweise durch sandige Buchten unterbrochen sind. Pemba ist vom geologischen Aufbau Unguja sehr ähnlich: Poröses Korallengestein an der flacheren Ostküste und lehmiger, fruchtbarer Boden an der Westküste.

Geographie

Der halbautonome Staat Sansibar besteht aus den beiden Inseln Unguja und Pemba, wobei die größere oft etwas ungenau als Sansibar bezeichnet wird. Die Eilande liegen etwa sechs Grad südlich des Äquators und sind an der schmalsten Stelle 37 Kilometer vom tansanischen Festland entfernt. Beide sind Koralleninseln und dementsprechend flach. Der höchste Punkt von 117 Metern kann noch nicht mal als Hügel bezeichnet werden. Unguja ist 86 Kilometer lang und die breiteste Stelle misst 39 Kilometer. Die gesamte Fläche beträgt 1666 Quadratkilometer. Sie wirkt von oben besehen wie ein länglicher Schlauch mit einem Auswuchs unten rechts. Pemba dagegen hat eher die Form eines ausgefransten Halbmondes und ist 68 Kilometer lang und 23 km breit. Die Insel verteilt sich auf eine Fläche von 988 Quadratkilometer.

Klima

Und es kurz zu machen: Auf Unguja und Pemba ist es heiß und feucht. Das Klima wird von der Lage jenseits des Äquators und durch die Monsunwinde bestimmt. Große Temperaturschwankungen kommen hier nicht vor. Es ist das ganze Jahr über tropisch-feucht mit heftigen Niederschlägen in den Regenzeiten. Die große Regenzeit, „Masika“ genannt, dauert von März bis Mai. Die kleine Regenzeit während der Monate Oktober, November bis Anfang Dezember heißt „Vuli“. Regenzeit bedeutet allerdings selten Dauerregen, sondern kurzzeitige tropische Regenfälle, bei denen Wassermassen vom Himmel stürzen. Danach reißt plötzlich der Himmel wieder auf und es scheint fast so als sei nichts gewesen. Nur riesige Pfützen zeugen noch davon, dass eben der Himmel mal kurz die Schleusen geöffnet hat. Dann entfacht die Sonne wieder ihr tägliches Brutfeuer. Die heißeste Zeit wird „Kaskazi“ genannt und fällt in den europäischen Winter von Dezember bis Februar mit maximalen Temperaturen bis zu 33 Grad Celsius. Sie ist die Hauptreisezeit für Europäer. Die zweite Reisesaison während des europäischen Sommers ist auf Sansibar „Kipupwe“, die „kalte Jahreszeit“ mit 27 bis 30 Grad Celsius. Nachts sinken die Thermometer jeweils um 10 Grad nach unten. Die Luftfeuchtigkeit schwankt, je nach Saison, zwischen 60 und 80 Prozent.

Die Gezeiten

Anders als an der deutschen Nordseeküste haben die Gezeiten auf Sansibar einen etwas längeren Rhythmus von 6.30 Stunden bis 6.55 Stunden. Ein kompletter Ebbe-Flut-Ebbe-Flut-Rhythmus dauert demnach 27 Stunden. Der Takt der Gezeiten verschiebt sich um etwa 15 Minuten. Alle zwei Wochen, jeweils bei Vollmond und

Neumond, gibt es eine so genannte Springflut. So heißt die jeweils höchste Flut, die dann auch später den tiefsten Wasserstand bei Ebbe nach sich zieht.
Man lebt hier mit den Gezeiten, denn an der Ostküste Sansibars sind sie sehr stark spürbar. Deshalb richtet sich der Lebens- und Arbeitsrhythmus so selbstverständlich nach den Meeresrythmus wie bei uns nach der Uhr. Bei auflaufendem Wasser fahren die Fischer mit den selbst gebauten Segelbooten raus. Nur in seltenen Fällen starten diese erst bei ablaufendem Wasser, um dann zu Fuß, das Boot schiebend, zurückzukehren. Bei Ebbe wandern die Frauen aus dem Dorf knietief ins Wasser, weil sie ihre Seegrasgärten von „Ungeziefer" wie Wasserschildkröten und Seeigeln reinigen wollen. Außerdem kann man bei Ebbe ideal mit dem Rad am Strand entlangfahren, was eine erhebliche Erleichterung zu den katastrophalen Straßenverhält-

Mangroven am Stadtrand von Stone Town

nissen darstellt. An der Nordküste, bei Nungwi, sind die Gezeiten weniger spürbar. Hier kann man also rein theoretisch immer baden, wogegen man an der Ostküste am besten die Flut abpassen sollte. Aber keine Sorge, daran gewöhnt man sich so schnell, dass der für uns eigentlich unverzichtbare Zeitmesser, die Uhr, überflüssig wird.

Unterwasserwelt

Die Unterwasserwelt Sansibar ist bemerkenswert und außergewöhnlich. Deshalb stellt Tauchen das Sportangebot Nummer eins auf Sansibar dar. Die Riffe und die Fischvielfalt lassen nur wenige Wünsche offen. Kenner behaupten, sie zählen zu den schönsten unseres Planeten, also ideale Spots für Taucher und Schnorchler. Eines ist sicher: In den Höhlen und Spalten dieses Unterwasserparadieses leben jede Menge wunderbarer Fische, Schildkröten und sogar Wale. In den Nischen lauern Angst einflößende Netzmuränen, und bunte Doktorfische verteidigen in den unterseeischen Gärten ihr Revier. Das ist aber lange nicht alles. Die Korallenriffe sind ein erstaunlich artenreiches, produktives und zugleich empfindliches Ökosystem – das Zuhause von Zackenbarschen, Orientsüßlippen, Kugelfischen, Preußenfischen, verschiedenen Rochenarten, alle Arten von Kaiserfischen, Napoleonfischen, Walhaie, Weißspritzenriffhaien, Papageifischen, Rotfeuerfischen, Fledermausfischen und vielen mehr.

Flora und Fauna

Es riecht sozusagen nach Fruchtbarkeit, wenn man durch die palmengesäumten Straßen fährt. Vanille, Kaffee, Zitronengras, Lakritzbäume und Lippenstiftpflanzen. Hier wächst einfach alles. Unguja und Pemba sind zudem als Nelkeninseln in die Geschichte eingegangen. Zu Recht könnten sie den Molukken ihren Ruf streitig machen. Denn die ursprünglich dichten Regenwälder mussten im 19. Jahrhundert den Nelken und Kokospalmplantagen weichen. Kokosnüsse stehen heute noch direkt nach den Nelken auf der Exportliste.

Während auf Pemba weiterhin hauptsächlich Nelken wachsen, sieht es auf Sansibar viel abwechslungsreicher aus: Vor allem der Westteil der Insel ist fruchtbar. Das dicht besiedelte Hügelland ist nicht nur mit Kokospalmen und Gewürzplantagen bedeckt, hier wachsen auch Mango, Papaya, Kakao und Bananenstauden. Außerdem Ananas, Choki Choki, Carambola, Jackfruit, Mandarinen, Orangen und eine Art von Pampelmusen, die „Big Machungwa" genannt wird. Im Zentrum der Insel erstrecken sich auch Gewürzplantagen mit verschiedenen Pfefferarten, Ingwer, Muskatnuss, Vanilleschoten und Zitronengras. Zudem gibt es Zuckerrohrplantagen und Reisfelder. Auch Mais und Cassava wird angebaut. Im Ostteil der Insel sind die Anbaumöglichkeiten durch den unfruchtbaren Korallenkalk und den sandigen Boden eingeschränkt. Dort stehen vereinzelt Baobabbäume und gelegentlich Mangrovenwälder.

Mangroven

Mangroven werden auch „Wälder des Meeres" genannt, denn sie wachsen selbst im salzgetränkten Boden der Küsten und helfen dadurch, die Abschwemmung von Küstenland zu verhindern. Ihre Wurzeln reichen oft bis ins Meer und verhindern so, dass Schlammbänke und Sand vom aufgewühlten Pazifik davongetragen werden. Mangroven sind auf Brackwasser spezialisierte, strauchartige Bäume, die etwa fünf Meter hoch werden und mit den langen, verästelten Luftwurzeln ein dichtes Gestrüpp bilden. Sie bieten einen idealen Lebensraum für Sumpfvögel, Krebse, Garnelen und kleine Fische, woraus sich ein sensibles ökologisches Gleichgewicht gebildet hat. Allerdings sind Mangroven gefährdet: Durch die Massenzucht von Shrimps an den abgestorbenen Wurzeln der Mangroven wird das Wasser stark verunreinigt, so dass die Mangroven kaum überleben können. Außerdem ist ihr Holz ein sehr beliebtes Brennmaterial. Auf Sansibar versucht eine Entwicklungshilfeorganisation in Zusammenarbeit mit dem Forstministerium das letzte zusammenhängende Waldgebiet zu schützen.

Kokospalmen

Bevor die Kokosnüsse auf Sansibar heimisch wurden, machten sie eine lange, beschwerliche Seereise. Allerdings wurden sie nicht etwa auf Segelschiffen importiert. Sie kamen auf eigene Faust, denn die Kokosfrüchte können schwimmen. Bis zu 4500 Kilometer legen sie nachweislich mit der Meeresströmung zurück und bleiben dabei keimfähig. Man vermutet, dass die Kokospalme von Südostasien und Madagaskar nach Sansibar gekommen ist. Dort schien es ihr recht gut zu gefallen. Kokospalmen gedeihen nur in tropischen Regionen, die weniger als 300 Meter über dem Meeresspiegel liegen, über eine bestimmte Luftfeuchtigkeit verfügen und leichte Windzirkulation haben. Auf Sansibar finden sie deshalb optimale Bedingungen: Mehr als 5000 Bäume säumen die Küste. Sie sind leuchtend grün und sehen perfekt gewachsen aus.

Die Colobus-Affen im Jozani-Forest stehen unter Naturschutz

Nicht selten trifft man Sansibari, die bei der Ernte schon mal von einer 10 bis 15 Meter, manchmal sogar 30 Meter hohen Kokospalme gefallen sind. Die Kokospalme wird nach elf Jahren tragfähig und produziert dann im Schnitt 30 bis 40 Jahre lang Kokosnüsse. Als „Dafu" werden die Früchte bezeichnet, die noch keine Nuss im Inneren ausgebildet haben. Sie werden aufgeschlagen und ihr Inhalt getrunken. „Nazi" nennt man auf Swahili den Kern. Kokospalmen werden vielfältig verwertet: Aus den Früchten werden Fette, Öle, Alkohol, Körper- und Haarkosmetik gefertigt, aus den Fasern der Schale machen die Frauen Seile, Matten und Bürsten. Die Palmenblätter werden zu Körben verflochten und als Windschutz oder Dachabdeckung benutzt. Kokospalmen werden bis zu hundert Jahren alt. Die Sansibari äußern deshalb oft den Wunsch, so alt zu werden wie eine Kokospalme.

Tierwelt

Die Tierwelt auf der Insel Sansibar ist nicht so exotisch wie auf dem Festland. Die Attraktion sind die Colobus-Affen, die im größten zusammenhängenden Waldgebiet, dem „Jozani-Forest", leben. Diese Affenart ist endemisch, das bedeutet, sie kommt nur noch in Sansibar vor, wo sie unter Naturschutz steht. Außerdem gibt es mehrere Antilopenarten und den kleinen, kompakten Sansibar-Leoparden. Obwohl man bereits glaubte er sei ausgestorben, tauchten vor einigen Jahren wieder Spuren von ihm auf. Allerdings ist jetzt schon lange keiner mehr gesichtet worden. Auf Changu Island, direkt vor Stone Town gibt es eine große Zahl von Riesenschildkröten, die irgendwann einmal von Seefahrern mitgebracht wurden und sehr wahrscheinlich von den Seychellen stammen. Auf der Schwesterinsel Pemba sieht man gelegentlich Buschschweine sowie den Riesengalago, der auch Buschbaby genannt wird. Außerdem gibt es zahlreiche Vogelarten und endlos viele Krabbensorten.

Gesellschaftliches

Gesellschaft

Die Sansibari verstehen sich zuallererst als Menschen, danach als Afrikaner und zum Schluss als Moslems. In dieser Reihenfolge. Eine Kultur zwischen gestern und heute, zwischen Afrika und Arabien und dem Propheten Mohamed. Kräuterdoktoren und Naturdämonen sind ebenso wichtig wie die unzähligen Internet-Cafés in Stone Town.
Obwohl Sansibar offiziell zu Tansania gehört, trennt die Inseln und das Festland nicht nur das Wasser, sondern auch der Glaube und die Geschichte. Nicht nur, dass 99 Prozent der Bevölkerung moslemisch sind und auf dem Festland nur 35 Prozent. Sansibar gehört, anders als das Festland, zur Swahili-Kultur. 75 Prozent der Einwohner sind Afrikaner, d.h. Bantu- und Bantu-Mischlinge, 13 Prozent Araber und sechs Prozent Asiaten.
Die Sansibari mögen die Festländer nicht besonders. Auf den Nelkeninseln hat man andere Interessen. Man sieht sich eher in der Tradition der Araber, als in der Tradition der versklavten Afrikaner. Durch die Stadt huschen verschleierte Frauen, die arabische, indische und afrikanische Vorfahren haben. Ihre Augen, Haare und Hautfarbe erzählen die Geschichte einer ehemals heiß umkämpften Gewürzinsel. Perser, Portugiesen, Araber, Briten und Deutsche wussten im Laufe der Jahrhunderte die Vorzüge des vielbesungenen Tropenparadies zu schätzen und haben ihre Spuren hinterlassen.

Die Sansibari legen Wert auf eine große Familie, ein großes Einkommen ist nachrangig, weil das ohnehin fast unmöglich ist. Geheiratet wird ratzfatz und möglichst viele Kinder sorgen für ein großes Ansehen. Sie werden das an dem betretenen Schweigen merken, wenn Sie ihre bescheidenen europäischen Familienverhältnisse darlegen.

Die Transportsysteme funktionieren prima, warum sollte man also irgendetwas optimieren?

Ansonsten ist es, als sei die Zeit stehen geblieben. Auf den ersten Blick gibt es alles und nichts funktioniert. Zumindest nach europäischen Maßstäben. Morgens um sechs geht die Sonne auf und abends geht sie unter. Dazwischen hat man Zeit, bis der Muezzin ruft. Dann wird gebetet. Und zwar fünfmal am Tag. Ansonsten ist Warten ein beliebter Zeitvertreib. Man lebt mit dem Mond und mit den Gezeiten. Pünktlichkeit und Präzision werden fast als Charakterschwäche ausgelegt. Es bleibt dem Europäer nichts anderes übrig, als seine Sichtweise der Dinge zu überdenken. Denn alles funktioniert – nur anders. Der Optimierungsgedanke und die Effizienz, die wir quasi einprogrammiert haben, laufen hier ins Leere. Zeit ist kein Geld. Zeit ist umsonst, sie hat keinen Gegenwert. Beten ist allemal wichtiger, als einen Gast zu bedienen. So entsteht ein anderes Wertesystem und eine andere Logik. Wozu soll man Dinge verändern, die funktionieren? Nur weil sie dann noch besser funktionieren würden?

Zeitungskiosk in Stone Town

Afrikas Bedeutung für Europa

Wenn im deutschen Fernsehen ein Bericht über einen afrikanischen Staat gesendet wird, geht die Einschaltquote nach unten. Das ist so sicher wie das Amen in der Kirche. Afrika-Korrespondent ist demzufolge unter Journalisten kein allzu beliebter Job, weil im Zweifelsfall immer ein Beitrag aus Washington vorgezogen wird. Schon Fürst Otto von Bismarck, der Kanzler des Deutschen Kaiserreiches, befand, dass Afrika völlig bedeutungslos für unser Land sei. So ganz stimmt das nicht, obwohl der Kontinent strategisch nach dem Ende des Kalten Krieges immer mehr an Wichtigkeit verloren hat.

Bevor der Eiserne Vorhang aufging, war die internationale Politik von der Konkurrenz zwischen dem westlichen und östlichen Lager bestimmt. Auch kleine afrikanische Staaten waren deshalb interessante Bündnispartner für Ost und West.

Wirtschaftlich betrachtet, ist der gesamte Kontinent auch heute kein relevanter Handelspartner. Seit den achtziger Jahren wurden weniger als zwei Prozent des deutschen Außenhandels mit Ländern südlich der Sahara abgewickelt. Das bedeutet, dass es keinerlei Abhängigkeiten von den afrikanischen Staaten gibt. Da viele Mineralien, die ursprünglich exportiert wurden, heute durch Kunststoffe ersetzt werden, hat auch die Tragweite des Kontinents als Rohstoffexporteur abgenommen. Daran wird sich auch in den nächsten Jahrzehnten wenig ändern. Deshalb sind es vor allem außenpolitische und entwicklungspolitische Interessen, die europäische Politiker nach Afrika verschlagen. Dort führen sie strategische Verhandlungen in völlig unterkühlten Sitzungssälen, denn mit den Klimaanlagen wird hier – als Zeichen besonderer Gastfreundschaft – gerne die Frostgrenze erreicht. Die afrikanischen Staaten verfolgen dabei die Hoffnung auf ein deutsches Engagement in ihrem Land. Deutschland wiederum hat Interesse an langfristigem Frieden, Demokratie und natürlich an dem Aufbau einer funktionierenden Marktwirtschaft im jeweiligen Land. Durch den eher zufälligen und deshalb nicht weiter ehrenrührigen Umstand, dass Deutschland nur in wenigen afrikanischen Ländern mit einer kolonialen Vergangenheit belastet ist, scheint der Aufbau

einer gleichberechtigten Partnerschaft vergleichsweise leichter als mit Portugal, Frankreich oder England.
Allerdings gibt es noch einen weiteren Aspekt, der den afrikanischen Kontinent für Europa langfristig interessant macht: Die Ökologie. Der Kontinent ist reich an unterschiedlichsten Naturregionen und ökologischen Nischen für die Tier- und Pflanzenwelt. Die tropischen Regenwälder und Küstengewässer sind für das ökologische Gleichgewicht der Erde von großer Bedeutung. Durch die beschleunigte Erwärmung der Erde und dem damit einhergehenden Aussterben vieler Pflanzen und Tiere wird Afrika für Europa immer mehr an Bedeutung gewinnen. Denn auf der einen Seite steht Europa mit einer industrialisierten Welt und der damit einhergehenden hohen Umweltverschmutzung. Auf der anderen Seite steht der riesige afrikanische Kontinent, auf dem das ökologische Gleichgewicht noch nicht aus den Fugen geraten ist. Das könnte langfristig für einen gewissen Ausgleich sorgen. Diese Erkenntnis hat sich in der internationalen Politik allerdings noch nicht durchgesetzt. Es ist nur eine Frage der Zeit, bis diese Bedeutung des Schwarzen Kontinents Beachtung finden wird. Und die Zeit läuft.

Sansibarische Geschichten

Plötzlich war nur ein lautes Klopfen zu hören. In einem kleinen, netten Hotel an der Ostküste Sansibars hatte sich ein älterer Herr mit dem schmissig alliterierenden Namen Johannes Jofelden in der Toilette eingeschlossen. Er rief auf Swahili um Hilfe, und obwohl die korrekte Aussprache des Wortes Hilfe von seinen Artikulationsvorschlägen meilenweit entfernt war, wurde durchaus deutlich, was Sache war. Die Angestellten Abdallah, Omari und Assad liefen aufgeregt zusammen und sannen auf Abhilfe. Die Tür ging einfach nicht mehr auf. Nicht von außen und nicht von innen. Deshalb wurde eilig ein „Fundi" gerufen, das ist auf Sansibar die Bezeichnung für einen Handwerker bzw. für jemanden der etwas kann. Dieser kreuzte nach einigen Stunden dann auch endlich mit seinem klapprigen Sansibar-Fahrrad aus dem Nachbardorf auf. Dem Herrn wurde derweilen durch den Türspalt Mut und Durchhaltevermögen zugeredet, was auf wenig fruchtbaren Boden stieß. Der Fundi Nassor besah sich die Sache und wiegte den Kopf. Drinnen tobte ein entnervter Tourist. Draußen war ein Menschenauflauf. Dann meinte der Fundi „Hakuna matata", also kein Problem. Aber er müsse nun erst mal nach Hause fahren und sein Werkzeug holen.

Politik

Bei den Wahlen in Tansania im November 2000 stand der Wahlsieger Benjamin Mkapa als Präsident von vornherein fest. Das ist für das Festland von Tansania nicht ungewöhnlich, aber auf den Inseln Sansibar und Pemba ist die Opposition sehr stark. Hier war es offensichtlich zu Wahlmanipulationen gekommen. Internationale Wahlbeobachter sprachen von einer „Verachtung der Demokratie". Danach kam es auf den Inseln zu Ausschreitungen und Unruhen, denn das musli-

misch geprägte Sansibar hat einen halbautonomen Status, ein eigenes Parlament und einen eigenen Präsidenten. Der im Herbst 2000 gewählte Amani Karume ist der neue Präsident von Sansibar.
Doch der gilt als Marionette der Festlandsregierung, er hat das Parteibuch der Chama Cha Mapinduzi (CCM), also der Staatspartei, die immer noch – etwas irreführend – Partei der Revolution heißt. Die Oppositionspartei Civil United Front (CUF) forderte die Bildung einer Übergangsregierung und Neuwahlen. Das Parlament wurde, insbesondere auf der Insel Pemba, wo die Opposition sehr stark ist, boykottiert. Die fragile Allianz zwischen Sansibar und dem Festland Tansanias war dadurch mal wieder gefährdet.
Denn seit 1964 sind das ehemalige Tanganjika und die Inseln Sansibar und Pemba zur vereinigten Republik Tansania zusammengeschlossen. Doch die Sansibari sind auf das Tansania-Festland nicht gut zu sprechen, weil sie sich beispielsweise mit der Strom- und Wasserversorgung vernachlässigt fühlen.

Erschwerend kommt hinzu, dass Korruption in ganz Tansania, also auch in Sansibar, an der Tagesordnung ist. Politische Macht ist mit Geld verbunden. Außerdem hat die Vetternwirtschaft einen hohen Stellenwert. Und Vettern hat jeder viele, oder Brüder und Schwestern. Die junge Demokratie hat es dadurch nicht leicht. Schließlich hat niemand Erfahrung damit. Woher auch? Demokratie will gelernt sein. Seit 1992 ist ein Mehrparteiensystem zugelassen. Die Einheitspartei hat Konkurrenz bekommen. Aber schon bei der Wahl von 1995 hat die für eine Autonomie Sansibars kämpfende CUF unter Sharif Hamad den Behörden Wahlfälschungen vorgeworfen, was offensichtlich auch den Tatsachen entsprach. Daraufhin haben sich die Geberländer von den diversen Entwicklungshilfe-Projekten zurückgezogen. Die Oppositionspartei hat die Wahl auf ihre Weise boykottiert: Man ging einfach nicht mehr ins Parlament, um zu demonstrieren, dass man die Wahl als nicht rechtmäßig ansah. Das war politisch sicher eine unkluge Entscheidung, denn dadurch konnte die Regierungspartei schalten und walten wie sie wollte. Zudem sitzen 18 CUF-Mitglieder seit Anfang 1998 wegen angeblichen Hochverrats im Gefängnis und warten auf ihren Prozess. Diese Situation sorgt weiterhin für Zündstoff.

Wirtschaft

Tansania ist trotz der Unabhängigkeit (1961) ein Agrarstaat geblieben. Mit einem Pro-Kopf-Einkommen von US$ 218 gehört es zu den ärmsten und hoch verschuldetsten Ländern der Erde. Seit 1980 konnte der Staat nur ein Drittel der fälligen Zinsen bezahlen. Eine erschreckende Tatsache. Das Land gibt drei- bis viermal mehr für seine Schuldentilgung aus, als beispielsweise für das Bildungswesen. Der Agrarsektor des Landes erwirtschaftet 60 Prozent des Volkseinkommens und bietet 80 Prozent der Bevölkerung eine Beschäftigung. Da die Wirtschaft hauptsächlich von der Landwirtschaft abhängig ist, wirken sich unvorhersehbare Einflüsse wie Dürre, Überflutungen und Preisschwankungen am Weltmarkt katastrophal auf die wirtschaftliche Situation des Landes aus.
Industrie und Dienstleistungen tragen nur geringfügig zum Bruttosozialprodukt bei. Der Tourismus gewinnt insbesondere auf Sansibar und in den Safari-Gebieten auf dem Festland an Bedeutung und ist im Wachsen. Außerdem werden noch Entwicklungen im Bergbau, in der Telekommunikationsbranche und im Elektronikbereich erwartet.

Die schwierige wirtschaftliche Lage kommt nicht von ungefähr. Während des Kolonialismus wurde das Land konsequent ausgebeutet. Die Entwicklung der Wirtschaft konzentrierte sich auf den Anbau einiger exportfähiger Feldfrüchte und die Ausbeutung von Rohstoffen. Insbesondere wurden Kaffee, Sisal, Baumwolle und Diamanten exportiert, von Sansibar kamen noch Pfeffer und Gewürze hinzu. Alle Gebiete des Landes, die zu weit ab vom Schuss lagen und deshalb für die Kolonialherren uninteressant waren, wurden vernachlässigt und nicht wirtschaftlich erschlossen. Die ostafrikanischen Staaten Tansania, Uganda und Kenia versuchten nach der Unabhängigkeit gemeinsam zu handeln, um den bitteren Folgen der Machtpolitik entgegenzuwirken. Sie bildeten 1966 die Ostafrikanische Wirtschaftsunion. Trotzdem entwickelte jeder Staat ein innenpolitisches Konzept. In Tansania stagnierte die Wirtschaft seit dem Ende der 70er Jahre bis in die frühen 90er. Nyreres Nachfolger Ali Hassan Mwinyi (1985 bis 1995) widmete seine Amtszeit dem Übergang zur Marktwirtschaft. Heute befindet sich das Land wirtschaftspolitisch in einem

Umbruchsprozess, der auf einem Programm des Internationalen Wirtschaftsfonds basiert. Seit 1995 ist Staatspräsident Benjamin Mkapa im Amt. Um die Wirtschaft anzukurbeln, wurde die Planwirtschaft abgeschafft und seit 1997 ist Privatisierung leichter möglich. Investitionen wurden bislang durch die absolut abschreckende Bürokratie sehr erschwert, wenn nicht verhindert. Seit 1998 wurde ein Mehrwertsteuersystem, eine Börse und eine Reihe von zusätzlichen Investitionsanreizen geschaffen. Die Bemühungen blieben nicht folgenlos. Die Inflationsrate sank und das Ausgabendefizit des Staates schrumpfte. Heute machen Kaffee, Baumwolle, Tee, Cashewnüsse, Tabak und Bergbauprodukte den größten Teil der Exportgüter. Die Inseln Sansibar und Pemba setzen wirtschaftlich auf den Tourismus (Sansibar) und den Agrarsektor (Pemba).

Gesundheit

Obwohl Tansania zu den ärmsten Ländern der Erde gehört, hat es im Verhältnis hierzu ein gut ausgebautes Gesundheitssystem. Denn durch die „grundbedürfnisorientierte Politik“ des ehemaligen Präsidenten Julius Nyerere wurde das Gesundheitswesen sehr wichtig genommen. Tansania war dadurch eines der ersten afrikanischen Länder, in denen ein Netz von Basisgesundheitsdiensten errichtet wurde, um die Bevölkerung medizinisch zu versorgen. Zu Zeiten der sozialistischen Regierung in Tansania war die Gesundheitsvorsorge kostenlos. Seit der Strukturanpassungsreform ist dies nicht mehr haltbar. Deshalb ist zum einen eine Kostenbeteiligung der Patienten eingeführt worden, zum anderen können die Krankenhäuser diese Einnahmen selbst verwalten.

Für die Bevölkerung sind diese Vorteile nicht relevant: Sie können die sehr geringen medizinischen Kosten oft nicht aufbringen. Zusätzlich muss die Krankenschwester bestochen werden, damit sie überhaupt mal nachschaut, was los ist.

Wer kein Geld hat – und das sind viele – muss irgendwie anders klarkommen. Das sieht dann beispielsweise so aus, dass sich die Menschen mit Zahnschmerzen kurzerhand selbst die Zähne ziehen. Denn durch den Kalk- und Fluormangel haben die Sansibari auffällig schlechte Zähne, oft haben sie kaum noch welche im Mund.

Am häufigsten auf den Inseln sind parasitäre Krankheiten und Infektionskrankheiten.

Auch Malaria stellt ein großes Problem dar.
Aids breitet sich in Tansania rasant schnell aus. Mit HIV infiziert oder an AIDS erkrankt sind zur Zeit 300 pro 100 0000 Personen. Das ist eine relativ hohe Quote für den Teil Afrikas, der südlich der Sahara liegt. Die offiziellen Statistiken werden jedoch noch durch die nationalen Schätzungen übertroffen. Die sinkende statistische Lebenserwartung wird in Tansania vor allem der hohen HIV-Infektionsrate zugeschrieben.
Auf Sansibar, das überwiegend moslemisch ist, scheint die Verbreitung etwas langsamer voranzuschreiten. Insgesamt 2000 HIV-Fälle auf die 730.000 Einwohner sind dort bislang registriert worden, davon 1000 in Stone Town. Man kann aber davon ausgehen, das die Dunkelziffer erheblich höher liegt.

Bildung

Sansibar ist in Sachen Bildung unabhängig vom Tansania-Festland. Es gibt ein eigenes Bildungsministerium, welches über ein eigenes Budget für Bildung verfügt. Leider kann die kostenlose Schulbildung hiermit finaziell nicht gedeckt werden. Das ist zum einen ein Problem, weil die Menschen oft zu arm sind, um ihren zahlreichen Kindern Bücher und Stifte zu kaufen, zum anderen, weil kein Bewusstsein über die weitreichende Bedeutung von Ausbildung und Wissen besteht. Nur etwa 60 Prozent der schulpflichtigen Kinder besuchen überhaupt die Schule. Dazu kommt, dass die meisten Schulgebäude in zwei Schichten benutzt werden.
Das Niveau der Schulabgänger bleibt auch deshalb niedrig, weil die Lernbedingungen schlecht sind. In den Klassenzimmern gibt es meist nur einen Stuhl für die Lehrkraft sowie wenige Bücher für die Kinder. Außerdem sind die Lehrer häufig schlecht qualifiziert.

„What's my name?", sagen ganze Generationen von Kindern und meinen aber „What's your name?". Wenn man in Sansibar von Kindern in falschem Englisch angesprochen wird, liegt das nicht daran, dass die Kids nicht aufgepasst haben. Die Lehrer wissen es nicht besser. Das einzige Lehrerausbildungsinstitut der Insel verlassen jährlich nur 120 Lehrer, gebraucht werden aber 400. Zudem sind die Pauker schlecht motiviert, denn Sie verdienen so wenig, dass sie ihr Gehalt durch zahlreiche Nebenjobs aufbessern müssen, um die Familie zu ernähren.

Das Bildungsministerium in Sansibar ist sich der problematischen Situation voll bewusst. Deshalb gibt es seit 1992 ein neues Bildungskonzept, das schrittweise umgesetzt wird. Es stellt eine Grundbildung in den Vordergrund, die mehr umfasst als Lesen, Schreiben und Rechnen. Vor allem soll den Kindern ein grundlegendes Verständnis der Zusammenhänge zwischen Natur und Gesellschaft vermittelt werden. Außerdem stehen Heimatkunde, Politik und Grundwerte der Gesellschaft auf dem Lehrplan. Englisch soll zukünftig schon früher als bisher unterrichtet werden. Denn in der Primary School, die sieben Jahre dauert, wurde bislang ausschließlich in Swahili unterrichtet. Erst in der drei Jahre dauernden anschließenden Secondary School ist Englisch die dominante Sprache. Um den neuen Lehrplan umzusetzen und den Kindern bessere Lernbedingungen zu schaffen, setzt das Ministerium auf die Mithilfe der Elternorganisationen und die Unterstützung von den Geberländern.

Wer eine Vespa hat, gehört schon zur Mittelschicht

Ein besonderes Projekt: Begegnungen mit Sansibar

Die Initiative eines Projektes der RAA Potsdam ermöglichte seit 1992 insgesamt 127 Brandenburger Jugendlichen, für einige Zeit in einem sansibarischen Dorf zu leben. Dort arbeiteten sie an konkreten Projekten der Dorfbewohner mit. In diesem Miteinander entstanden 40 Klassenräume in sieben Dörfern, Schulbänke, zwei Kindergärten und Gebäude für Frauenkooperativen in Pwani Mchangani an der Ostküste. Hier gehen die Frauen ihren Tätigkeiten nach und haben sehr einfache Gästezimmer, die auf Besucher warten. Die Jugendlichen bereiteten sich intensiv auf Sansibar vor. Sie lernen Swahili und beschäftigen sich mit den Vor- und Nachteilen von Tourismus in der Dritten Welt. In der Realität wurden sie dann mit dem Problem konfrontiert, dass es leicht ist, für einige Wochen in das Dorfleben ohne Strom und fließendes Wasser einzutauchen, wenn man ein bezahltes Rückflugticket in die andere Welt in der Tasche hat.

Auszüge aus einem Projektbericht der Reihe „Interkulturelle Beiträge 26“ der „Regionalen Arbeitsstelle für Ausländerfragen, Jugendarbeit und Schule e.V.“, erarbeitet von der Koordinatorin des Projektes Birgit Mitawi.

Kindergartenbau 1995:

„Oft habe ich gedacht, was machst du eigentlich hier? Die können den Kindergarten eigentlich alleine aufbauen, es wäre lediglich eine finanzielle und materielle Frage gewesen. Später wurde mir klar, dass nicht die Hilfe beim Kindergartenbau vordergründig war, sondern die Annäherung von reich und arm, schwarz und weiß, Europa und Afrika...“
Kathlen Just, Schülerin

Jeden Nachmittag begrüßte man uns mit „Good morning teacher“. Am Abend auch. Morgens war es nicht ganz so schlimm, bloß dass man eben kein Lehrer war.
„Eh moto! Mimi si mwalimu!“ – „Kwa nini?“
„Du Kind! Ich bin kein Lehrer!“ – „Ja, warum nicht?“

An einem Abend ging ich also in die Schule, um den Schülern zu erzählen, dass ich kein Lehrer bin. Wir stellten die Tische im Kreis, um uns selbst und auch den Schülern die Ängste voreinander zu nehmen. Die richtigen Lehrer beobachteten uns. Entweder neugierig, skeptisch oder kritisch. Zwei Stunden später verabredeten wir uns für den nächsten Abend...."
Frank Eibisch, Student (Organisierte privaten Englischunterricht)

Bau von Gebäuden für Frauenkooperativen in Pwani Mchangani 1996:
„...Es war naiv von mir zu glauben, dass wir in dieses (afrikanische) Leben eintauchen und den Alltag richtig kennen lernen können. Nicht nur, weil vier Wochen zu kurz sind, sondern hauptsächlich, weil wir „Wazungu" (Swahili-Tourist) viel zu viele Privilegien hatten: Wir konnten uns den Flug leisten, der mehr kostet als ein Dorfbewohner im Jahr verdient. Wir brachten das Geld zum Hausbau mit und hatten täglich Essen in Hülle und Fülle...."
Elena Sandau, Schülerin

Ehemalige Teilnehmer bieten Projekttage zu Sansibar in Schulen und Freizeiteinrichtungen an, haben ein entwicklungspolitisches Planspiel entwickelt, arbeiten mit Biografien von Menschen aus Sansibar und haben eine Fotoausstellung, die Rahmen für Veranstaltungen und Gespräche sein kann.

Kontakt:
RAA Potsdam, Eisenhartstraße 13, 14469 Potsdam
E-Mail: raa-potsdam@web.de

Massenmedien

Die Sansibari sind sehr stark am politischen Leben interessiert und verfolgen gespannt alle aktuellen Entwicklungen. Zeitungen werden gerne gelesen und auch Radios sind beliebt. Insbesondere weil die Stromversorgung schlecht ist und damit das Fernsehen als Informationsquelle für die meisten Sansibari ohnehin ausscheidet. Mit dem einsetzenden Pluralismus werden nicht mehr alle Medien von der Regierung kontrolliert. Langsam fassen deshalb auch kritische Medien Fuß.

Zeitungen und Zeitschriften

Auf dem Festland erscheinen zwei Tageszeitungen in englischer Sprache, die meist auch auf Sansibar erhältlich sind: Es gibt die Tageszeitungen „Daily News", die ein Regierungsorgan ist, die unabhängige „Shaba" sowie auf kiswahili „Uhuru", das Organ der Regierungspartei CCM. Hier bekommt man Informationen über die politischen Ereignisse in Ostafrika. Weltpolitik wird nur sehr nachrangig behandelt. Hinzu kommen einige Wochenzeitungen: Die unabhängigen Blätter sind die „Business Times" und „The Express". Außerdem gibt es das Gewerkschaftsblatt „Mfanyakazi".

Die staatliche Nachrichtenagentur Shihata wurde 1981 gegründet. Außerdem sind in Tansania die Agenturen Reuters aus Großbritannien, IPS aus Italien, Ria-Nowosti aus Russland und Xinhua aus China vertreten. Das regelmäßige Lesen deutschsprachiger Gazetten kann man auf Sansibar demnach vergessen. In Stone Town können Sie lediglich in großen Hotels wie dem „Serena Inn" ein paar englische und südafrikanische Magazine sowie Frauenzeitschriften erstehen. Ganz selten sind deutsche Zeitungen dabei. Da es aber in Stone Town sehr viele Internet-Cafés gibt, kann man dort „Zeitung lesen", wenn es mal sein muss. In den kleineren Küstenorten tendiert die Wahrscheinlichkeit, eine deutsche Zeitung kaufen zu können, gegen Null.

Fernsehen und Radio

Sansibar hat eine eigene Radiostation: „Radio Tansania Sansibar“ sendet seit 1964 auf swahili auf drei Wellenlängen. Ansonsten hört man hier das „Radio Tanzania“ aus Dar es Salaam, das schon seit 1956 im Inland auf swahili und im Ausland auf englisch berichtet. Außerdem gibt es den Sender „Radio One“ und den von der römisch-katholischen Kirche betriebenen Sender „Radio Tumaini“. Die Fernsehstation Television Zanzibar ist staatlich und ihre Informationen werden dementsprechend gefiltert. Gedreht wird auf VHS-Kassetten, also Videorecorderniveau. Aber vor einigen Jahren hat man stolz von Schwarz-Weiß auf Farbe umgestellt. Da sich nur wenige Sansibari einen Fernseher leisten können, gibt es öffentliche Plätze, auf denen eine Flimmerkiste steht. Dort sitzen insbesondere Abends bis zu

Palmenstraße zur Nordküste nach Nungwi

hundert Leuten auf der Straße und verfolgen gespannt das Programm, das praktischerweise nach Wochentagen thematisch vorsortiert wird. An einem Tag gibt es ausschließlich religiöse, am nächsten kulturelle und am dritten politische Beiträge. Besonders beliebt ist der Dienstag, da werden Spielfilme ausgestrahlt.

Tourismus

Seit der real existierende Sozialismus auch am Indischen Ozean baden ging, dürfen Ausländer uneingeschränkt einreisen. Nach dreißig Jahren Planwirtschaft wurde im einstigen Musterland des afrikanischen Sozialismus nun auch die Marktwirtschaft eingeführt. Reisten 1990 nur 42.000 Touristen ein, so waren es im Jahr 2000 bereits 97.000.
Doch Sansibar ist noch nicht überlaufen. Am Strand kniet nur hin und wieder ein verhüllter Sansibari und betet in Richtung Mekka. Strand ist auch nicht das richtige Wort, eher ein Traum von einem Strand. Knallweißer Sand, von prächtigen Kokospalmen umsäumt, so sieht die Ostküste von Sansibar aus. Der Sand am Strand von Matembwe und Jambiani ist so fein, als könnte man ihn umgehend in eine Eieruhr füllen. Daneben smaragdgrünes Wasser, Korallen und bunte Fische. Ein Logenplatz zum Ausspannen.
Über zwei Drittel aller Investitionen flossen deshalb in den letzten Jahren in den Fremdenverkehr. Zwar hat der Pauschaltourismus, vor allem in Form von Neckermann, schon begonnen, aber es gibt doch vorwiegend Individualtouristen. Jährlich landen insgesamt etwa 7000 Deutsche, Österreicher und Schweizer auf dem Flughafen von Sansibar. Hundertmal mehr Urlauber fliegen aus dem deutschsprachigen Raum zum Beispiel in die Dominikanischen Republik.

Vom Tourismus profitiert hauptsächlich Unguja, die größere der beiden Inseln, die im Allgemeinen als Sansibar bezeichnet wird. Die meisten europäischen, amerikanischen und australischen Reisenden sind mit dem Rucksack unterwegs und versu-

chen, die ganze Insel zu erkunden. Die einzige Ausnahme bilden die Italiener, die ihre 14 Ferientage gerne in den überstürzt entstandenen Touristenghettos an der Ostküste verbringen. Deshalb fallen die jährlich ca. 20.000 italienischen Touristen und Touristinnen auch nur auf, wenn sie ihren einmaligen Ausflug nach Stone Town unternehmen und mit dem „All inclusive"-Plastikarmband im bauchfreien Top durch die engen Gassen fluten.
Die Schwesterinsel Pemba bleibt da wegen der komplizierten Anbindung und der schlechten touristischen Infrastruktur außen vor. Low- und Middle Budget-Traveller finden aber auf Sansibar eine hervorragende Infrastruktur vor mit zahlreichen Übernachtungsmöglichkeiten um die 10 bis 15 Dollar pro Nacht und Nase. Diese Unterkünfte werden vorwiegend von Einheimischen geführt und bieten zwar nicht das, was sich der Europäer unter Service vorstellt, aber dafür das wahre sansibarische Leben. Zudem gibt es einige wenige, sehr gut geführte Luxushotels.
Die so plötzlich eingeführte Marktwirtschaft hat, nach dem fast dreißigjährigen planwirtschaftlichen Tiefschlaf, zu Bodenspekulationen und gescheiterten Bauprojekten geführt. Wer möchte, kann ein paar klassische Spekulations-Bauruinen an der Ostküste besichtigen.

Die Zanzibar Investment Promotion Agency (ZIPA) möchte jedoch jetzt einen Tourismus mit mittlerem bis höherem Standard (ca. 50 bis 100 Dollar pro Nacht) unterstützen, weil damit natürlich mehr Geld zu verdienen ist. Dafür sollen ausländische Investoren mit speziellen Programmen angesprochen werden. Weitere Investitionen im Low-Budget-Bereich wünscht man sich nicht. Ausländer sind nur willkommen, wenn sie mindestens 200.000 Dollar Startkapital mitbringen. Dafür bemüht man sich durch eine vom Ausland finanzierte Hotelfachschule, das Personal besser zu schulen und den Service langfristig zu verbessern, was eine schwierige Angelegenheit ist.

Wichtig für die Sansibari ist es, den Tourismus mit der Kultur und der Religion zu vereinbaren. Füllen Sie also Ihren Koffer also mit Allah-tauglichen Klamotten.

Wenn die Röcke und Hosen bis übers Knie reichen und die Shirts langärmelig sind, haben auch der Prophet Mohammed und seine Anhänger nichts gegen den Tourismus. Aber nur dann. Am Strand kann man übrigens ruhig bauchfrei rumlaufen. Nur Zärtlichkeiten sind in der Öffentlichkeit nicht erwünscht, geschweige denn mehr.

Verkehr und Straßen

Nachdem die Engländer sich wieder auf ihre eigene Insel verzogen hatten, hinterließen sie den Linksverkehr und ein mehr als tausend Kilometer langes, recht brauchbares Straßennetz. Nach der Unabhängigkeit hatte die junge Regierung zum einen andere Sorgen, als sich um Fahrwege zu kümmern, zum zweiten setzte Julius Nyerere ab 1967, nach der Arusha-Deklaration, eher auf den sozialen Wohnungsbau und auf das Bildungswesen. Die Verkehrswege wurden nicht mehr instand gesetzt. Deshalb war das Straßennetz Ende der 80er Jahre fast vollständig zerstört. Die wichtigsten Straßen wurden seither von externen Gebern repariert. Da aber immer mehr Verkehr rollt, sind die Straßen, bis auf wenige Ausnahmen, wie zum Beispiel die Makunduchi-Road, in schlechtem Zustand. Die Schlaglöcher der geteerten und ungeteerten Straßen sind tief und werden täglich tiefer, denn die Sansibari rollen mit schweren Lasten täglich mit voll geladenen Transportwagen, Autos und Fahrrädern von den Küstenorten nach Stone Town und zurück, und auch die Touristen wollen natürlich transportiert werden. Mit Hilfe diverser Entwicklungshilfe-Organisationen wird jetzt ein nachhaltiges System zur Straßenerhaltung entwickelt. Aber bis es soweit ist, werden Sie noch viele Schlaglöcher persönlich begrüßen dürfen. Und zwar im Fünf-Sekunden-Takt.

Wunderheiler und Kräuterdoktoren

Bei Beschwerden geht man hier nicht nur zum „Daktari“, also dem Doktor, sondern gerne zum „Mganga wa Kieyeji“, dem Wunderdoktor. Er hilft mit Kräutern und Pflanzen bei Menstruationsbeschwerden und Potenzproblemen. Suleiman Hajii (siehe Foto) ist ein guter Doktor. Wunderdoktoren gibt es auf Sansibar viele. Und

Suleiman Hajii, 60, lebt in Jambiani. Der „mganga“ hat zwei Frauen, bei denen er jeweils die halbe Woche wohnt

zwar gute und schlechte. Zu den schlechten geht man hin, wenn man auf jemanden eifersüchtig ist oder wenn man ihm aus einem anderen Grund einen bösen Fluch anhängen möchte. Verhexen auf Bestellung kostet zwar eine Kleinigkeit, aber es lohnt sich: Der „mganga“ schmeißt dann zum Beispiel einen verhexten abgeschnittenen Hühnerkopf über den Zaun und ratzfatz ist der Nebenbuhler impotent. Hier hilft nur eins: Schnell zu Suleiman Hajii und seinen Kräutern. Das ist auch nicht so abwegig, denn die Schulmedizin hat den Placebo-Effekt nur deshalb so lange ignoriert, weil sie ihn nicht verstanden hat. Nun entwickeln Wissenschaftler auch bei uns Ansätze, das Phänomen zu erklären, um es dann zur gezielten Behandlung einsetzen zu können. Man beschäftig sich mit Fragen wie sich der Arzt verhalten soll und welche Rolle Rituale und Symbole spielen. Dabei scheint das limbische System eine Rolle zu spielen: Ein Hirnbereich, der für die Filterung und Verarbeitung von Emotionen verantwortlich ist. Suleiman Hajii denkt über solche Dinge weniger nach, das braucht er nämlich wirklich nicht.

Interview mit Suleiman Hajii

Suleiman: Geh zu Suleiman Hajii, sagt auch der normale Doktor, wenn er im Krankenhaus nichts mehr machen kann. Die kommen sogar aus Stone Town. Denn mein Job ist es zu heilen.

Frage: Woher kannst Du das?
Suleiman: Mein Großvater und mein Vater haben mir das beigebracht, bevor sie gestorben sind.

Frage: Was benutzt Du denn so?
Suleiman: Da gibt es „bata kuva“ gegen Menstruationsschmerzen oder wenn ein Kind Asthma hat, muss es sich auf die Türschwelle legen und ich komme dann von hinten und lasse ein Gemisch aus geraspelten Wurzeln und Honig in seinen Mund tropfen.

Frage: Ist denn gegen alles ein Kraut gewachsen?
Suleiman: Das schon, aber für so etwas wie Abtreibung und Verhütung verwende ich meine Kenntnisse nicht. Das gilt im Islam als Verbrechen.

Frage: Heilst Du auch Ausländer?
Suleiman: Na klar, einmal war hier zum Beispiel ein drogenabhängiger Franzose. Der lief hier monatelang am Strand rum und war immer schlecht drauf. Ich habe ihm geraten, die Religion zu wechseln. Jetzt ist er Moslem, betet fünfmal am Tag und darf aus religiösen Gründen keine Drogen mehr nehmen. Er ist mir so dankbar, dass er mich jeden Sommer besuchen kommt.

Islam

In Sansibar sind ca. 95 Prozent der Bevölkerung Muslime, was auch im Straßenbild ständig deutlich wird. Die Männer schreiten würdevoll in bodenlangen weißen Gewändern und eine bestickte Gebetskappe auf dem Kopf durch die Gassen, während die Frauen verhüllt und verschleiert um die Ecken huschen. Insbesondere während des Fastenmonats Ramadan ist von den Moslems erhöhte Religiosität und von Touristen erhöhte Sensibilität gefordert.

Exkurs Islam:
Der Islam ist nicht irgendeine Weltanschauung. Er ist die Religion von mehr als einer Milliarde Menschen. Er sieht sich deshalb als die endgültige und vollständige Offenbarung der Menschheitsgeschichte. Nach dem Koran, der heiligen Schrift des Islam, duldet Gott keine Partner neben sich. Er hat also – anders als im Christentum – keinen Sohn. Aber Mohammed, der Prophet, ist sein Gesandter. Entstanden ist der Islam im 7. Jahrhundert n. Chr., als besagtem Mohammed, einem Kaufmann aus Mekka, in seinem 40. Lebensjahr die göttlichen Offenbarungen vermittelt wurden. Er verkündete diese seinen Mitmenschen und fand schnell zahlreiche Anhänger. Weil er aber ausgerechnet in seiner Heimat Mekka auf nicht allzu viel Gegenliebe stieß, entschloss er sich im Jahre 622 auszuwandern. Dadurch verbreitete sich der Islam in Kürze auf der arabischen Halbinsel. Die arabischen Völker pflegten sehr früh Handelsbeziehungen mit den Bewohnern der Küstenregionen von Ostafrika und verbreiteten dort ihre Religion schon ab dem 9. Jahrhundert. Später drang der Islam von den Küstenregionen Ostafrikas ins Landesinnere und nach Westafrika vor.
Auf dem Schwarzen Kontinent trifft man allerdings auf eine besonders moderate Art des Islam, der sich in die bestehenden Religionen integrieren ließ. Die Swahili nennen Gott nicht nur Allah, sondern auch „Mungu“. Das Wort kommt aus der Bantusprache und bedeutet Urahn, Oberhaupt aller Ahnen oder Herrscher über die

Naturdämonen. Auf diese Weise sind die Ahnen und Naturdämonen Allah unterstellt und können auch weiterhin kultisch verehrt werden. Außerdem sind Besessenheitsgeister an der Swahili-Küste und auf Sansibar wohl bekannt. Mit speziellen Riten soll erreicht werden, dass ein bestimmter Dämon von einer Person Besitz ergreift.

Dem gläubigen Moslem sind fünf Hauptpflichten vorgeschrieben: Es gibt keinen anderen Gott und er soll fünfmal täglich beten, Almosen geben, während Ramadan soll er fasten und einmal im Leben eine Pilgerfahrt nach Mekka unternehmen. Wein, Schweinefleisch und Glücksspiel sind verboten. Durch die Handelsbeziehungen mit den Seefahrern des Vorderen Orients hat sich der Islam an der ostafrikanischen Küste verbreitet.

Frauen in Sansibar

Frauen sind in Sansibar mit ihren modernen Lebensentwürfen zwischen den Stühlen: Zwischen Anpassung, Tradition, Fortschritt und ökonomischen Zwängen. Wir haben mit drei Frauen gesprochen, die aktiv im Berufsleben stehen und trotzdem die Religion und die Kultur bewahren. Sie versuchen, ihre Sicht der Dinge zu vermitteln:
Raya Hamad ist 25 Jahre alt und Nachrichtensprecherin bei TV-Sansibar. 1 Kind.
Raya Rashid ist 42 Jahre alt und Cutterin. 3 Kinder.
Habiba Khamis ist 25 Jahre alt und Nachrichtenreporterin bei TV-Sansibar.
Sie ist verlobt. Alle drei sind Muslime.

Frage: Warum verschleiert Ihr Euch?

Raya: Das muslimische Gesetz beschützt uns Frauen, indem es die Verhüllung von Kopf und Körper vorschreibt. Für uns bedeutet die Verschleierung, dass wir uns selbst respektieren und respektiert werden. Diejenigen, die das nicht tun, werden nicht geachtet und sind meist Prostituierte.

Frage: Schützt Ihr Euch vor Belästigung?
Habiba: Ja, klar. Dass Männer Frauen wollen, ist Bestandteil ihrer Natur. Einen Mann kann es schon anmachen, wenn er die Füße einer Frau sieht.

Frage: Werden wir europäischen Frauen also hier als Prostituierte angesehen, wenn wir ohne Schleier rumlaufen?
Raya: In anderen muslimischen Ländern, wie im Iran, ist das sicher so. Hier nicht. Wir sind den Anblick von Europäern gewöhnt und respektieren, dass ihr anders seid. Nur finden wir natürlich, dass Christen auf dem Irrweg sind.

Habiba, Raya und Raya

Frage: Wie viele Kinder sind normal?

Raya: Die meisten Familien haben sehr viele Kinder, aber ich will nur drei bis vier. Deshalb nehme ich die Pille. Das ist zwar im Islam verboten, aber Familienplanung gehört durchaus zur Religion. Früher gingen die Frauen vor der Geburt ihrer Kinder ins Haus der Eltern zurück und lebten so getrennt vom Ehemann. Der entschied, wie lange sie dort blieb. Manchmal ein bis zwei Jahre und so lange gab's dann auch keine neuen Kinder. So funktionierte die Familienplanung bei meinen Eltern.

Frage: Bist du auch verheiratet?

Habiba: Nein, aber ich bin verlobt. Und die Familie meines Verlobten hat den Brautpreis schon bezahlt. Deshalb können wir uns schon zu Hause oder im Büro treffen. Natürlich, ohne dass etwas passiert. Eine Muslime geht als Jungfrau in die Ehe, so will das der Koran.

Frage: Wie funktioniert das mit dem Brautpreis?

Habiba: Auf Sansibar verlangt das Gesetz, dass man in Geld bezahlt. Mein Brautpreis war 300.000 Shilling, aber auf dem Festland bezahlen die Leute auch mit Kühen oder Lebensmitteln.

Frage: Sucht Ihr Euch den Ehemann selber aus?

Raya: Oft entscheidet das die Familie, aber ich habe mir meinen Mann selber ausgesucht. Ich habe ihn in einem Jugendclub gesehen und dann ist er mir heimlich nach Hause gefolgt und hat um meine Hand angehalten.

Frage: Woher wusstest Du denn, dass er dich gut findet?

Raya (lacht): Merkt Ihr das in Europa nicht, wenn Euch ein Mann gut findet?

Kulturelles

Sansibars Türen

Im kunstvoll geschnitzten Gebälk Stone Towns knirscht es und der Putz blättert unaufhaltsam von den Wänden der Herrschaftshäuser. Melancholie liegt über der ehemaligen Pracht der Gebäude, und trotzdem ist der vergangene Reichtum der Araber und Inder immer noch sichtbar. Es sind die traditionell (schwülstig) kunstvoll geschnitzten Haustüren, die die Atmosphäre der Vergangenheit in die Gegenwart begleiteten. Bei einem Spaziergang durch die Altstadt findet man die üppigen Kunstwerke an jeder Ecke, restauriert oder mehr oder weniger verkommen. An mehr als 500 dieser alten Gebäude zeugt die Größe und der Prunk der Türen noch von der sozialen Stellung und dem Wohlstand der ehemaligen Hausherren.
Ursprünglich stammten die Türen aus den Ländern rund um den Persischen Golf und aus Indien. In Sansibar erfuhren sie ihren größten Aufschwung zu Zeiten Sultans Bargash, als er die geschickten Handwerker aus dem indischen Punjab nach Sansibar brachte und die Holzschnitzerei zu einer langen Tradition machte. Die Türen, die meist als erster Teil des gesamten Gebäudes gefertigt wurden, sind kunstvoll geschmückt mit Schnitzereien aus der Tier- und Pflanzenwelt: Fische und wellenförmige Verzierungen symbolisieren den Frieden und das Leben am Meer. Die Lotusblüte galt als Zeichen für die Fruchtbarkeit und die Blätter der Dattelpalme spiegelten den Reichtum eines Plantagenbesitzers wider.

Generell unterscheiden sich Sansibari-Türen in ihrer Aufmachung je nach Herkunft des Hausherren. Während die arabische Version über dem Türsturz bogenförmig gebaut und deutlich an ihren Inschriften aus dem Koran erkennbar ist, weisen die indischen Türen eher eine rechteckige Form auf.

Sie sind insgesamt einfacher verziert, aber ihr unverkennbares Merkmal sind die spitzen Messingdornen an den Türflächen. Diese Türen sind Überbleibsel aus der Zeit der indischen Mogul-Herrschaft. Dort sollten sie feindlichen Kriegselefanten das Eindringen in ihre Städte erschweren. Elefanten existierten jedoch zu Bargashs Zeiten schon lange nicht mehr auf Sansibar, deshalb dienen die Messingbeschläge seitdem nur noch zur Verzierung.

Die typische Sansibari-Tür wurde ursprünglich aus feinstem Teak- und Jackfruitholz hergestellt. Sie besteht aus zwei Flügeln, wobei das bemerkenswerte daran ist, dass die linke Seite über die rechte schließt. Kein Zufall, sondern Symbolik. Der rechte Flügel wird in Suaheli „mlango mke" (die männliche Tür) und der linke „mlango dume" (die weibliche Tür) genannt. Ein Sinnbild, das mehrere Interpretationsmöglichkeiten offen lässt.

Die älteste Tür aus dem Jahre 1695 ist am Hintereingang des Memorial Museums zu bestaunen, und eine der größten und bewundernswertesten Versionen befindet sich am Eingang des Beit-al-Ajaib. Beim Anblick dieses Kunstwerkes ehrte 1872 der Entdecker Richard Burton seinen Gastgeber Sultan Bargash anerkennend mit den Worten: „Je prächtiger der Wohnsitz, je herrschaftlicher der Eingang und je dicker die Türschlösser, desto größer die Würde des Besitzers." Die beiden großen Löwen gelten als Symbol für den Sultan, die kleineren und die Vögel stehen stellvertretend für seine Familie. Typisch sind die arabischen Inschriften aus dem Koran.

Es wundert nicht, dass einige Touristen und Antiquitätenliebhaber auf die Idee kamen, diese Kunstwerke für lächerliche Preise aufzukaufen und nach Europa zu exportieren. Glücklicherweise Vergangenheit. Die „Stone Town Conservation Authority“ hatte ein Auge auf diese eigennützigen Verkäufe und verbot den Export jeglichen antiken Kulturguts. In den 80er Jahren wurde Bwana Yahya als Beauftragter von der Regierung eingestellt, um an weiterführenden Schulen die Kunst des Holzschnitzens zu lehren. Deshalb können Interessenten heutzutage in speziellen Läden perfekt imitierte Replikate erwerben und diese auf legalem Wege ausführen. Erfreulicherweise ist dem Ausverkauf Einhalt geboten worden, denn nicht zuletzt haben die kunstvollen Türschnitzereien dazu beigetragen, dass die UNESCO 1988 Stone Town zum „Weltkulturerbe“ erklärt hat.

Literaturtipp: Doors of Zanzibar. Photographs by Uwe Rau. ISBN: 0-9521726-6-6

Tingatinga – die farbige Kunst des Einfachen

Als brodelnde Farbküche präsentiert sich diese typische ostafrikanische Maltechnik. Ähnlich der naiven Malerei sind die Motive aus dem Leben gegriffen. Und zwar aus dem afrikanischen. Elefanten, Leoparden, Nashörner, Fische, Giraffen, Vögel sind die Hauptmotive, wobei jedes der Tiere einen bestimmten Aspekt symbolisiert: Der Vogel steht für Harmonie, der Löwe für Stärke und der Fisch für das Leben. Bei alledem darf natürlich auch nicht der Mensch fehlen, denn die Tingatinga-Ölmalerei spiegelt das afrikanische Leben wider.

Edward Said Tingatinga ist der Schöpfer dieser Technik, die ursprünglich vom tansanischen Festland stammt. Von afrikanischen Wandbemalungen inspiriert, entschied sich der damals arbeitslose Tingatinga, sein Glück mit der Malerei zu versuchen. Nachdem er sein erstes Bild für – nach seinem Ermessen – unglaubliche 10 Schilling verkauft hatte, begann seine eigentliche Karriere als Künstler. Er kreierte seinen eigenen Stil, ohne andere afrikanische Künstler zu kopieren. Einfache und direkte Kunstwerke entstanden und brachten Erfolg. Überraschenden Erfolg. Nachdem sich herauskristallisiert hatte, dass das Geschäft mit der Kunst zu florieren begann, gesellten sich auch andere seiner Familienmitglieder zu ihm, um den neuen beruflichen Erfolg zu teilen.

Heute gibt es in Dar Es Salaam eine spezielle Schule, an der diese Maltechnik an die Jugend weitergegeben wird. Gesponsert wird sie sowohl von einer nationalen Organisation als auch von einer schweizerischen Gesellschaft. Als Edward 1972 versehentlich während einer Polizeischießerei ums Leben kam, war es sein Bruder Said, der diese Kunstform nach Sansibar brachte. Heute finden sich in Stone Town vor allem in der Huruzumi Street etliche Shops, die sich auf den Verkauf dieser Ölmalereien spezialisiert haben. Aber nicht nur auf den Verkauf. In den Gassen kann man genau beobachten, wie die Gemälde entstehen. Sie durchlaufen erst einen speziellen Präparationsprozess, bevor mit der eigentlichen Ölmalerei begonnen werden kann. Zunächst wird die Leinwand mit verschiedenen Pasten präpariert, damit das Gemälde später beim Rollen nicht zerstört wird. Erst nach diesen Vorbereitungen geht es los mit der eigentlichen Kunst. Besonders empfehlenswert ist der Shop von Ali Bobish in der Nähe des Bottom up Guesthouses.

Literatur

Vom Schreiben lebt hier niemand. Wie auch sonst fast überall in der Dritten Welt haben alle Literaten zum Geldverdienen bürgerliche Berufe. Der bekannteste Schriftsteller von Sansibar, Said Achmed Mohammed, ist zum Beispiel ein Professor, der zur Zeit in Deutschland Swahili unterrichtet. Er war der erste Sansibari, der zahlreiche Dramen, Novellen und Gedichte veröffentlicht hat. Seine Geschichten spielen fast durchgehend auf Sansibar. Sein Stil ist sehr komplex, denn er verknüpft historischen Schreibstil und historische Schauplätze mit absolut aktuellen Themen. Das sind Korruption, Macht, Geschlechterprobleme, Armut, Ignoranz und Missinterpretation des Islam. Insbesondere für das letzte Thema wird er sehr kritisiert. Sein Lehrer war der bereits verstorbene Mohammed Suleiman, der zwei Bücher publiziert hat. Deshalb gibt es bei den beiden Dichtern viele Parallelen.
Ein anderer Schriftsteller ist der ebenso bereits verstorbene Mohammed Said Abdallah, genannt MSA. Seine Novellen und Kriminalromane spielen auch auf Sansibar. Da Sansibari für Sansibari schreiben, und zwar auf swahili, sind Übersetzungen nicht notwendig. Jedenfalls aus der Sicht der Schreiber. Der einzige Sansibari, der übersetzt wurde, ist Shafi Adam Shafi. Sein wichtigster Roman, der unter dem deutschen Titel „Die Sklaverei der Gewürze“ erschienen ist, schildert in einfacher Sprache die Geschichte der sansibarischen Revolution im Jahr 1964 am Schicksal einer Sklavin. Das Buch endet mit dem Triumph der Revolution. Obwohl Shafi nach der Ermordung von Präsident Karume am 7. April 1972 als Verräter stigmatisiert wurde und zwei Jahre im Gefängnis saß, ist sein Glaube an den Sozialismus ungebrochen. Shafi Adam Shafi gilt mit seinen drei Publikationen als einer der meistgelesenen Schriftsteller auf swahili, aber er ist keinesfalls der bedeu-

tendste sansibarische Schreiber. Aus ökonomischen und kulturellen Gründen gibt es keine Schriftstellerinnen auf Sansibar. Für Frauen ist es schwer, sich so öffentlich zu präsentieren. Allerdings sind in der eigentlichen literarischen Disziplin von Sansibar, dem Taarabsong schreiben, auch einige Frauen zu finden.

Musik

Taarab

Fragen Sie einen Afrikaner, womit er Sansibar assoziiert, als erstes wird er Gewürze sagen, dann Sklaven, aber im nächsten Atemzug wird er Taarab nennen. Für Europäer dagegen ist Taarab ein Fremdwort. Und dass dieser Ausdruck etwas mit Musik zu tun hat, weiß erst recht kaum jemand. Aber auf Sansibar und an der kenianischen und tansanischen Küste ist das anders: Taarab ist dort fast schon Kult.
Seine Besonderheit: Taarab besitzt die Fähigkeit, Kulturen zu mixen. Das macht ihn einzigartig. Die islamische Bevölkerung war seit jeher reiselustig und hat mit den traditionellen Dhauen die ganze Swahili-Küste bereist. Rauf und runter. Von Indien bis zu den Komoren, von Madagaskar bis in die arabische Welt. Daraus hat sich nicht nur die Sprache, die Architektur und das Essen geformt, sondern auch die besondere Fusion verschiedener Musikrichtungen: Arabische, indische und afrikanische Klänge treffen hier aufeinander und ergeben den besonderen „Sound" des Taarab.
Für Sansibar-Neulinge hört sich dieses Gemisch erst einmal seltsam an und europäische Ohren sind bei der Einordnung der Klänge oft überfordert. Zumindest was den ersten Höreindruck angeht. Denn mit hierzulande bekannten afrikanischen Musik- und Tanzformen hat das Ganze nur wenig zu tun. Sicher, Taarab ist nicht jedermanns Geschmack, aber die Sansibari stehen drauf. Zu Recht. Denn für die Bevölkerung der „Dhow Countries" war diese sanfte Musikform seit jeher ein Ausdruck ihrer Identität, ihrer Visionen, Ängste und Träume. Taarab steht für Freude und Verzauberung und ist eine der ältesten Unterhaltungsformen dieser Gegend. Traditionell wird Taarab bei Hochzeiten und anderen gesellschaftlichen Anlässen vorgetragen. Und zwar von einer bis zu 50 Musikern starken Gruppe und einem oder

mehreren Sängern. Dabei kleidet sich nicht nur die Musikgruppe in ihr festlichstes Gewand; auch die Zuschauer putzen sich raus.
Taarab-Lieder gibt es in zwei Versionen. Die romantische Variante funktioniert folgendermaßen: Ein männlicher Zuhörer aus dem Publikum wünscht sich für die Dame seines Herzens ein besonderes Lied. Dazu geht er auf die Bühne, zeigt sich dabei gleichzeitig zur Begutachtung dem restlichen Publikum – natürlich im besten Anzug – und steckt der Sängerin für seinen Wunsch „unauffällig“ einen Geldschein zu.
Bei der anderen Version dient das Lied, das sich ebenfalls eine Person aus dem Publikum wünscht, zu Veröffentlichung einer bestimmten Taktlosigkeit oder Unüberlegtheit einer Person. Das Ganze wird aber nicht allzu eng gesehen, denn meist endet diese Art „Anklage“ in einer kommunalen Ausgelassenheit und Heiterkeit des Publikums.
Einige der traditionellen Taarab-Orchester haben ihre Ursprünge vor fast hundert Jahren. Nadi Akhawan Saafa ist vielleicht Afrikas älteste Musikgruppe. Sie wurde 1905 gegründet und dominierte nicht nur die Musikszene jener Zeit, sondern ist bis in die heutigen Tage unter dem Namen „Malindi Taarab“ populär.

Früher gab es noch Menschenopfer: Auf dem persischen Neujahrsfest Mwaka Kogwa wird heute aber nur noch eine Puppe verbrannt, um die bösen Geister zu vertreiben

Siti Bint Saad – die Mutter des Taarab

Die gefeierteste Taarab-Sängerin schlechthin war Siti Bint Saad. Siti, deren eigentlicher Name Mtumwa war, wurde 1880 in Sansibars Süden geboren. Als sie 1911 nach Stone Town umzog, traf sie dort auf einige Musiker, die ihr den Weg zur Musik ebneten. In den 20er Jahren öffnete sie ein neues Kapitel der Taarab-Kultur. Von „Master´s Voice Company" unterstützt, reiste sie 1928 nach Bombay, um ihre ersten Musikaufnahmen zu machen. Von da schlug sie eine steile musikalische Laufbahn ein: Bei Sultan Bargash ging sie ein und aus, sie gab regelmäßig Konzerte und in ganz Ostafrika wurden ihre Lieder in den Bars und Lokalen rauf und runter gespielt. 1940 gab Siti zwar ihre Karriere auf, aber ihre Musik ist bis heute in den Herzen der Sansibari verankert.

Dass Sitis Popularität sich bis heute gehalten hat, liegt unter anderem auch daran, dass eine ihrer Schülerinnen in ihre musikalischen Fußstapfen trat: Die heute betagte und von allen vergötterte Sängerin Bi Kidude. Sie ist eine Institution auf Sansibar und eine führende Persönlichkeit in Sachen traditioneller Taarab-Kultur. Der Besitzer des Emerson & Green Hotels hat ihr zu Ehren sein außergewöhnliches Café eingerichtet und es auch nach ihr benannt.

Spaziert man durch die Altstadt Stone Towns trifft man natürlich nicht nur auf Taarab. Der Muezzin ruft seine Gesänge von den Türmen der Moschee, an der einen oder anderen Ecke hört man coole Reggae-Klänge oder amerikanische Rap-Musik. Das alles tangiert die Liebhaber des Taarab nicht wirklich, aber eine Neuerung löste in den letzten Jahren heftige und kontroverse Diskussionen aus. Es entstand eine moderne Variante des Taarab, die vor allem bei der Jugend Sansibars regen Anklang fand. Einige Musikgruppen veränderten die ursprüngliche Musikform, indem sie anstatt den traditionellen Instrumenten elektronische einsetzten und moderne Musikstile in die herkömmliche Form einbanden. Außerdem wurde zu diesen Rhythmen getanzt, was vorher unüblich war. Diese modere Taarab-Version nennt man hierzulande "rusha roho". Bekannt für diesen Musikstil ist beispielsweise die

Gruppe „East Africa Melody“. Dienstag- und Freitagabend wird in der Disco des Hotels Bwawani in Stone Town zur Freude der einheimischen Jugendlichen „rusha roho“ gespielt und diese Abende zählen zu den wenigen, an denen der Tanzschuppen mehr weibliche als männliche Gäste zählt.

Ein anderer Newcomer ist „Cool Para“, der in besagter Disco sehr erfolgreich als DJ auflegt. Sein Steckenpferd ist der „Taa-rap“ (Taarab+Rap), eine Verbindung aus traditionellen swahilisprachigen und typischen Rap-Sprechgesängen. Der Pionier der sansibarischen Rap-Szene startete 1995 seine Karriere und verzeichnet seitdem große Erfolge, unter anderem beim größten ostafrikanischen Musikfestival, dem Zanzibar International Film Festival (ZIFF).

CD-Tipps: Culture Music Club: “Spices of Sansibar” (World Network, 1996)
“Bashraf” (Dizim Records, 2000)
Bi Kidude: “Zanzibar“ (Retro Afric)
Nadi Akhawan Safaa: “Music of Zanzibar”, Vol.1-4
(Globestyle Recordings, 1988)

Ngoma

Ngoma ist traditionelles Tanzen und Trommeln, bei dem der typisch afrikanische Ursprung unschwer zu erkennen ist. Es existieren vielfältige an Formen dieses rhythmischen Tanzes. Je nach Anlass variiert der Stil des Gesanges und des Tanzes, zu dem die Tänzerinnen nach typisch afrikanischer Manier ihre Hüften schwingen. Mal ist es „msewe“, „kibati“, „kirumbizi“ oder „unjuguu“, Tanzformen, die alle aus Sansibar direkt oder aus Pemba stammen. Manchmal wird nur getrommelt und getanzt, ein anderes Mal kommt Gesang hinzu und die „zumari“ wird gespielt, ein klarinettenähnliches Instrument.
Bekannte Tanzgruppen: Super Star Ngoma Group, Mkota Ngoma Group

Internationales Film Festival auf Sansibar

„Tamasha la Nchi za Jahazi“ – Das Festival der Dhau-Länder hat sich zu einem der bedeutendsten Kulturereignisse von Ostafrika gemausert. Das seit 1997 jährlich stattfindende Zanzibar International Film Festival hat längst die Dimensionen eines „Film“-Festivals gesprengt. Ein Grund im Sommer nach Sansibar zu reisen, denn dann ist hier Vergangenheit und Zukunft vereint.
Einmal in Jahr, genauer gesagt im Juli, feiert die Insel Sansibar ein Fest. Dabei werden die Kulturen all jener Länder zusammengebracht, die seit Jahrtausenden die Monsunwinde nutzten, um miteinander zu handeln, neue Märkte zu erschließen oder darum zu kämpfen. Vor mehr als 2000 Jahren segelten die Menschen mit den Dhauen aus Indien, den Golf-Staaten, Iran, Pakistan, Sri Lanka und den Inseln des Indischen Ozeans einmal jährlich an die Ostafrikanische Küste und zurück. Durch die Segelboote sind ihre Wurzeln miteinander verknüpft. Heute, im 21. Jahrhundert, geht es nicht mehr um Gewürzhandel und auch nicht um die Macht der Sutane.

Im Gegenteil: Das Festival versucht, Musik, Tanz, Filme und Videos zu präsentieren und dadurch die Verknüpfung aufrecht zu erhalten, welche die Segelschiffe einst begannen. „Die Handelsverbindungen von damals gibt es nicht mehr, aber die Kulturen sind verknüpft, und das wollen wir aufleben lassen“, sagt Emmerson D. Skeens, einer der Veranstalter. „Hört euch mal ein indonesisches Musikstück an, das hat afrikanischen Rhythmus“. Die Verbindungen sind also geblieben. Auch wenn die Bands heute mit „Gulf Air“ anreisen, anstatt die Segel zu hissen und die teilnehmenden Nationen jedes Jahr zunehmen: „Ihr könnt doch kein jährliches Festival in Afrika machen, da kommt keiner, haben Anfangs alle Leute gesagt“, erzählt Emmerson, der schon als Kind von Sansibar träumte und die Idee mit dem Festival hatte. Aber das war nicht so. Nun wird das „Festival of the Dhow Countries“ sogar auf 16 Tage verlängert. Denn die Atmosphäre einer großen, gemeinsamen Vergangenheit ist das Besondere an dieser Veranstaltung.

Geschichte und Realität verknüpft sich hier durch die Musik. Die Filme erzählen von der Alltagsrealität der Swahili-Kultur, von Liebe, Aids, von Menschen, die nach Europa auswandern und dem Leben der Nomaden. Die Musikpräsentationen variieren vom traditionellen Taarab bis Rap, sie erzählen vom Leben im Busch, von der Sklaverei und den Einflüssen aus Amerika. Außerdem gibt es Workshops in swahili und englisch. Täglich werden im alten Fort, im ehemaligen Sultanspalast Beit al Ajaib und im Forodhani-Park mehrere Filme und Gruppen gleichzeitig gezeigt. Zusätzlich Kinderprogramme, Ausstellungen und eine Plattform, die den Frauen vorbehalten ist.

Da sowohl die Musik als auch Filme und Theater aus diesem Kulturraum auf dem internationalen Markt unterrepräsentiert sind, möchten die Veranstalter hier eine eigene Plattform schaffen. MusikerInnen, Filmemacher und Kreative jeder Art bekommen Kontakte, Eindrücke und Know-how, was sie für ihre Karriere dringend brauchen. In Stone Town, in Ngome Kongwe, im alten Fort, vermischen sich die Kulturen wieder, die ohnehin vermischt sind. „Man trinkt, je nach religiöser

Tanz im Forodhani-Garden in Stone Town

Lage, Wasser oder Safari-Bier, spricht swahili, englisch, arabisch oder französisch und tanzt, bis die Sound-Techniker übermüdet den Saft abdrehen.

Fakten: Das Zanzibar International Film Festival wird von der ZIFF, einer Gruppe von Sansibari und zugewanderten Europäern und Amerikanern mit hohem persönlichen Einsatz organisiert. Es ist keine Regierungsveranstaltung. Die technische Ausrüstung, wie z.B. die Sound-Technik hat internationalen Standard. Das Festival wird durch die Unterstützung vieler Konsulate, Airlines, Hotels, Zeitschriften und anderer Organisationen wie Unicef ermöglicht und beginnt jedes Jahr in der ersten Juliwoche.
Außerdem noch ein Hinweis an alle Instrumentenbauer oder Sponsoren. Auf Sansibar gibt es nur wenige traditionelle Instrumente. Die alten Sansibari beherrschen diese brillant, können aber die Tradition aus Mangel an Musikinstrumenten nur sehr begrenzt an den interessierten Nachwuchs weitergeben. Wer Musikinstrumente spenden oder bauen möchte, wende sich bitte an die ZIFF.
Kontakt: ZIFF P.O. Box 3032 Zanzibar, Tansania
E-Mail: ziff@zanzibar.org oder die Webseite: www.zanzibar.org/ziff

Flying Movie im letzten Dorf von Sansibar
Plötzlich stand eine überdimensionale Leinwand vor dem Palmenwald. Von zwei riesigen Lastern mit Holzverkleidung wurden technische Licht- und Tonanlagen abgeladen. Und dann knipste die Natur das Licht aus. Die Nacht kommt schnell auf Sansibar. Sie fällt fast herein, als hätte Mohammed jetzt beschlossen den Tag zu beenden.

Und dann beginnt die Vorführung. Ein perfektes Bild, ein perfekter Ton. Kinoqualität vom Feinsten. Dafür sorgt eine Sound-Ingenieurin, ein Filmtechniker und sechs weitere Helfer. Wenn nicht die Palmen wären, die vielen dunklen Augen, die staunend auf diese Leinwand starrten, könnte man glauben, man wäre im Cinemax. Der Macher dieses Ereignisses heißt Hugo Raybaudo, ein überzeugter französischer Kinomacher, der mit seinem Unternehmen Cinéaction das Medium Film in den afrikanischen Busch verpflanzt. Manchmal müssen er und sein Team mit dem Helikopter einfliegen, weil es keine befahrbaren Straßen für seine Trucks gibt. Er möchte die „Magie des Cinema“ in Afrika verbreiten. Hochwertige Unterhaltung zum Nulltarif.

Einige der Zuschauer werden zum ersten Mal in ihrem Leben einen Kinofilm sehen. Und das sieht er als große Verantwortung. „Ich wusste auch nicht was passiert, als ich zum ersten Mal auf swahili: “Das Leben ist schön“, von Roberto Begnini zeigte. Aber die Leute fanden den Film toll und sie haben die Geschichte verstanden“. Während das Fernsehen durch seine komplette Kommerzialisierung keine Qualität mehr bieten kann, hat Kino eine andere Möglichkeit: Das Kollektiverlebnis. Kino kann Emotionen bei vielen Menschen gleichzeitig erzeugen und ist unabhängig von den Werbekunden. In den meisten Ländern Ostafrikas gab es entweder nie ein Kino, oder es ist schon wieder verschwunden. „Denn wenn hier Filme finanziert werden, dann nur, weil sie demjenigen, der die Gelder rausrückt, etwas nützen können“, sagt Monsieur Raybaudo, der durch seine Familiengeschichte eine starke Verbindung zu Afrika hat. Die Filme, die sonst in Afrika gezeigt werden, handeln meist von AIDS-Prophylaxe oder vom Umgang mit der ungewollten Schwangerschaft und haben immer Aufklärungscharakter. Zudem sind die Rollen mit mittelmäßigen Schauspielern besetzt und haben miserable Bild- und Tonqualität. Aber richtiges, hochwertiges Kino, wie es auch in Paris, Berlin, oder New York zu sehen ist, kommt in den Urwald wie ein Trojanisches Pferd. Vielleicht, das ist die Hoffnung von Cinéaction, werden hier eines Tages digitale Filme gezeigt, und ein paar Sansibari werden sagen: „Komm wir machen ein Kino auf.“

Kontakt: Cinéaction ist eine Non-Profit Organisation, die aus europäischen Filmförderfonds und durch kommerzielle Sponsoren finanziert wird.

Sansibar
4 km
Allgemeine Sehenswürdigkeit
Flughafen/-platz
Höhle
Hotel
Badestrand
Indischer Ozean
Ras Nungwi
Nungwi
Ras Kinundani
Tumbatu Island
Daloni Island
Kidoti
Gomani
Portuguese Houses Mvuleni
Puopo Island
Mnemba Island
Jongowe
Shirazi Ruins
Mkokotoni
Matemwe
Matemwe Beach Bungalows
Ras Uso Wa Membe
R. Kipange
Chaani New Town
Makoba
Mwanda
Pwani Mchangani
Donge
Bumbwini
Kinyasini
Upenja State Farm
Mahonda
Upenja
Kiwengwa
Karibu Hotel
Mangapwani Slave Caves
Sugar State Farm
Kichwele Forest
Ndagaa
Selem
Pongwe
Kama
Chuini
Kiboje
Mawimbini Village Hotel
Persian Baths
Uroa Bay Hotel
Uroa
Bambi State Farm
Tamarind Beach Hotel
Kibweni Palace
Kidichi
Uzini
Changuu Island
Ruins
Beit-El-Ras
Machui
Bambi New Town
Umbuji
Ras Michamvi
Bawe Island
Maruhubi Palace
Mtoni
Koani
Dunga
Michamvi
Pingwe
Mwera
Dunga Ruins
Chwaka Bay
Welezo
Chwaka
Zanzibar Town
Uwanjani Hotel
Jendele
Charawe
Murogo Island
Pange Island
Fuoni
Tunguu
Ukongoroni
Mbweni Ruins
Nyango Island
Reef Hotel
Bwejuu
Chukwani
Chukwani Palace
Kombeni
Jozani Forest
Paje
Chumbe Island
Muungoni
Kiwani Bay
Pete
Kitogani
Bweleo
Unguja Ukuu
Fumba
Sume Island
Jambiani
Ras Fumba
Miwi Island
Uzi
Pamunda Island
Kwale Island
Nianembe Island
Muyuni
Menai Bay
Vundwe Island
Kufile
Pungume Island
Makunduchi New Town
Shirazi Mosque Dimbani
Kizimkazi
Mtende

Kangas – sprechende Tücher

Elegant schreiten Sansibari-Frauen mit bunt bedruckten Tüchern durch die engen Gassen der Altstadt Stone Towns. Locker zum Turban geknotet, lose um den Körper geschwungen, nur die Knöchel zeigend oder zum Tragetuch gebunden. Die traditionellen Kangas, rechteckige Baumwolltücher mit farbenprächtigen, aufgedruckten Mustern, begleiten Swahili-Frauen ein Leben lang. Egal ob zur Hochzeit, zum Einkaufen auf dem Markt, als Nachthemd oder gar als Schürze. Sogar die islamische Männerwelt trägt sie als Hausanzug innerhalb der eigenen Gemäuer. Ehemänner schenken sie ihren Frauen, Kinder ihren Müttern und Freundinnen sich gegenseitig. Oft teilen sie sich gar ein „Leso“ (zwei Kangas

An Festtagen werden die schönsten Kangas hervorgeholt

gleichen Designs) als Zeichen der Freundschaft. Vor allem Farbe darf sein. Viel Farbe und jede Menge Sprüche. Die Kanga ist nicht nur das populärste Kleidungsstück Ostafrikas, sondern vor allem Vermittlerin von Botschaften. Ein sprechendes Tuch sozusagen, welches der Trägerin erlaubt, das auszudrücken, was sonst aufgrund von gesellschaftlichen Regeln eher unausgesprochen bleiben sollte. Die Texte sind aphoristisch, sprichwortähnlich, kurz und treffend. Aber trotzdem sind die Übersetzungen aus dem Swahili nicht einfach: Auf eine Anfrage bekommt man meist drei verschiedene Antworten. Schlau gemacht, denn durch den Interpretationsspielraum bleiben einerseits soziale Regeln bewahrt und andererseits wird das Unaussprechliche geschickt präsentiert, so dass jedem klar ist, wer und was gemeint ist.

Ein Beispiel: Eine Swahili-Frau trennte sich von ihrem Mann. Viele Leute kamen zu ihr, um sie zur Rückkehr zu bewegen. Als sie das Gerede leid wurde, kaufte sie eine Kanga, auf der auf Suaheli steht „ Uzinilazimishe“ (Zwing mich nicht!). Von da an wurde sie in Ruhe gelassen.
Andere Aussprüche sind beispielsweise: Nishamehe! – Verzeih mir!
Tukiwa pamoya miye mwema nikiondoka wanisema!- Wenn wir zusammen sind, bin ich die Beste, wenn ich gegangen bin, bin ich die Schlechteste!
Ulomi ni panga!- Die Zunge ist das Schwert!
Apendaye halipizi! – Jemand der liebt, rächt sich nicht!
Usibishane na mpumbavu! – Streite dich nie mit einem Narren!
Erfreulich ist, das dieses traditionelle Kleidungsstück auf Sansibar noch nicht von den trendorientierten Markenklamotten verdrängt werden.

Im 19. Jahrhundert war Sansibar nicht nur der Mittelpunkt des ostafrikanischen Handels, sondern auch Modezentrum. Einfallsreiche Swahili-Frauen kamen damals auf die Idee, jeweils sechs Taschentücher zu einem rechteckigen Tuch aneinander zu nähen. Daraus entstand der neue Modetrend „leso“, benannt nach der portugiesischen Bezeichnung für Taschentuch. Lesos wurden populär, denn bunte Stoffe zu besitzen, war gleichbedeutend mit gesellschaftlichem Status. 1890 gab ein Stoffhändler aus Sansibar einen Druck in Auftrag mit weißen Tupfen auf dunklem Grund, das dem Perlhuhn (swahili: kanga) glich. Da die Frauen auf Sansibar schon immer einen nicht unbedeutenden Einfluss hatten, überredeten sie die Händler, bestimmte Sprichwörter und selbst gedichtete Aphorismen aufdrucke zu lassen. Auf der Themenhitliste standen dabei vor allem Erotik, Sinnlichkeit und die Beziehung zwischen Mann und Frau. Die damaligen verknöcherten deutschen Händler hatten zwar einige moralische Bedenken, so dass das deutsche Reichsamt 1914 sogar ein Verbot aussprach: „Tücher mit Aufschriften, deren Inhalt anstößig ist, dürfen nicht mehr in den Handel gebracht werden". Aber trotz dieses Zwischenfalls ist dieser ehemalige Trend zu einer großen Tradition Ostafrikas geworden.

Henna-Malereien – exotisch und erotisch

Ich bin eingeladen bei einer arabischen Schönheit: der Nachrichtensprecherin Raya von Television Zanzibar. Keine normale Einladung, sondern ein Treffen unter Frauen. Raya will mir ein arabisches Schönheitsritual verpassen: eine Körperbemalung aus Henna. Nicht dass ich mich weigere, im Gegenteil. Ich kann es kaum erwarten, diesen Touch arabischer Sinnlichkeit auf meinem Körper zu tragen. Raya zaubert geschickt die schönsten Ornamente aus Henna auf meine Füße. Für die kunstvolle Körperbemalung presst sie aus einer spitzen Tüte eine grüne Paste heraus. Ein Gemisch aus den getrockneten Blättern der duftenden Hennapflanze „Minha" und einem Schuss Zitronensaft, damit die Verzierung im Nachhinein eine schöne rote Färbung erhält.

Ich bin nicht die einzige europäische Frau in Stone Town, die sich zu dieser exotischen Extravaganz verführen lässt. Dennoch bin ich besonders stolz: Nur wenige tragen die traditionelle Variante aus Hennapaste zur Schau. Die meisten Besucherinnen verschönern sich mit der überall erhältlichen „Peakock"-Version.

Anstatt Plastiktüten: Aus Kokospalmenblättern kann man sich doch mal eben einen Korb flechten

Dabei wird ein spezielles schwarzes Pulver mit etwas Wasser verrührt, das die Damenwelt Afrikas eigentlich zum Färben der Haare nutzt. Mit einem streichholzartigen Holzstift pinseln damit mehr oder weniger fachkundige Musliminnen in Stone Town und in den Hotels der Ostküste gehabte orientalische Muster auf die Körper ihrer fremden Geschlechtsgenossinnen.
Henna-Malerei ist nicht nur ein althergebrachtes Ritual, sondern eine regelrechte Kunstform, die tief in der Swahili-Kultur verwurzelt ist.

Der Prophet Mohammed, der Begründer des Islam, hat den Hennaschmuck im Orient und auf Sansibar „hoffähig" gemacht. Aber nicht nur an seinen Frauen liebte er rote Fingernägel und verzierte Füße, auch er selbst genoss es, sein Haupt- und Barthaar rot zu färben. Als Vorbild in allen Lebenslagen sorgte er so für eine weit reichende Verbreitung des Henna-Kultes im moslemischen Raum. Jedes der zahlreichen, aufwendigen Designs hat seit jeher einen eigenen Namen und eine eigene Bedeutung. Ob zur Geburt eines neuen Erdenbürgers oder zu anderen religiösen oder traditionellen Ereignissen, die Henna-Malerei darf nicht fehlen. Beispielsweise existiert heute noch der Brauch, die Braut vor der Hochzeit mit Henna zu schmücken. Alle Freundinnen der Braut treffen sich zu diesem Happening, bemalen sich gegenseitig und die Braut auf eine ganz besondere Art und Weise.

Körperbemalungen traditioneller Art halten ungefähr vier Wochen, die Peakock-Version maximal zwei Wochen. Aber auch bei mir ist irgendwann Ende mit der orientalischen Sinnlichkeit. Spätestens zu Hause. Die arabische Exotik an meinen Füßen wird unwiderruflich verblassen, und ob meine Versuche sie zu kopieren gelingen werden, weiß keiner.

Damit der Versuch zu Hause vielleicht doch noch eine Chance auf ein Gelingen hat, hier ein Literaturtipp:
Rainer Krettec: Das große Buch der Henna-Tatoos, Süd-West-Verlag

Wissenswertes von A bis Z

Ärztliche Versorgung

Kompetente medizinische Versorgung gibt es zwar auf Sansibar, allerdings nur in Stone Town. Wer ein gesundheitliches Problem an der Ostkünste oder sonst wo auf der Insel hat, sollte sich deswegen direkt nach Stone Town bewegen. Wenden Sie sich nach Möglichkeit nicht an das städtische Krankenhaus, sondern an eine der privaten Kliniken. Deren Versorgung ist um einiges gründlicher!

Zanzibar Medical Group, Stadtteil Shangani, Tel.: 2233 113
Öffnungszeiten: Mo–Do: 9–13 Uhr und 14–20 Uhr
Fr: 9–12 Uhr und 14.30–20 Uhr
Sa: 9–12 Uhr und 14–20 Uhr
So: 9–11 Uhr

Dr. Mario Mariani, Stadtteil Shangani, Tel.: 2233 113,
mobil: 0812-750 040 oder 0747-413714, E-Mail: mario@zanzinet.com

Dr. Asiya, Zahnärztin, Tel.: 2233 814

Flying Doctors, Nairobi, Tel.: 000254-2-501 280

Allgemeiner Notruf: 999

Alkohol

Wie jede Religion hat auch der Islam einen doppelten Boden. Da Alkohol offiziell verboten ist, bekommt man ihn nur in großen Hotels an der Bar und in Gaststätten, die auf westlichen Tourismus ausgerichtet sind. Da aber auch der ein oder andere Moslem gerne einen trinkt, gibt es ein paar verschwiegene Lokale, in die sie sich am besten von Einheimischen führen lassen. Hier wird vorsätzlich das getan, was verboten ist: Trinken. Die Kombination, bestehend aus je einem Safari-Bier und dem heimischen Zuckerrohrschnaps „Konyagi“, würde man in Deutschland vornehm

Herrengedeck nennen. Die meisten Sansibari geben bei diesem Trinkkonzept innerhalb kürzester Zeit ihre Sprachkarte ab und gehen zum Lallen über. Falls Sie kein swahili können, fällt das nicht weiter ins Gewicht. Sonst schon. Wein und andere alkoholische Getränke zum Mitnehmen kann man in Stone Town in nur wenigen Geschäften finden, die wir vorsorglich in den Stadtplan eingezeichnet haben. Öffentlich auf der Straße sollten Sie allerdings besser nicht trinken, und während des Fastenmonats Ramadan ist der Alkoholgenuss grundsätzlich nicht gern gesehen.

Anreise/Weiterreise

Per Flugzeug von Deutschland

Der internationale Flughafen befindet sich ca. 7 km südlich von Stone Town. Folgende Fluglinien fliegen Sansibar direkt an oder landen in Dar Es Salaam bzw. Mombasa, von wo aus man entweder eine der regelmäßigen Flugverbindungen oder eine der Fähren nutzt.

British Airways: Büro in Dar Es Salaam,Tel.: 022-113 820/2
Ab Deutschland über Nairobi nach Dar Es Salaam. Danach muss man die Fähre oder einen Anschlussflug mit lokalen Airlines buchen.

Äthiopian Airlines: Tel: 2235 490
Ab Frankfurt über Addis Abeba und Nairobi nach Sansibar. Diese Möglichkeit ist ziemlich umständlich und zeitintensiv, da man bei den Zwischenstopps (in Addis Abeba 6 Stunden) Aufenthalt hat.

Condor: Von Frankfurt nach Mombasa mit Anschlussflug nach Sansibar, den man zusätzlich buchen muss.

KLM: Büro in Dar Es Salaam, Tel.: 022-113 336/7
Von Frankfurt nach Amsterdam, von dort über Nairobi nach Sansibar. Beim Rückflug hat man in Nairobi acht Stunden Aufenthalt.

Swiss Air: Büro in Dar Es Salaam, Tel.: 022-118 870/2
Von Frankfurt über Zürich nach Dar Es Salaam. Von dort mit Fähre oder Anschlussflug nach Sansibar.

Gulf Air: Tel.: 2232 824 o. 2233 771 o. 2233 773
Von Frankfurt via Maskat oder via Abu Dhabi oder via Bahrain (je nach Flugtag) nach Sansibar. Beim Hinflug muss man eine Übernachtung in Muskat in Kauf nehmen, und beim Rückflug dauert der Stopp u.U. sogar 24 Stunden. Allerdings ist die Unterkunft in Muskat inklusive und außerdem bekommt man schon mal einen Eindruck von der Omani-Kultur.

Flugpreise: Zwischen DM 1100 und DM 1700, je nach Saison. ***Achtung:*** Bei der Abreise aus Sansibar wird eine Flughafensteuer von US$ 20 verlangt.

Vom/Zum Festland (Tansania bzw. Kenia)
Die Flüge können zum Teil in den ortsansässigen Reisebüros gebucht werden oder direkt bei den verschiedenen Fluglinien (siehe auch Stadtplan).

Zan Air (Malawi Road): Tel.: 2233 670, E-Mail: zanair@zitec.org

Coastal Travel (neben Serena Inn Hotel): Tel.: 2233 112,
E-Mail: safari@costal.cc

Precicion Air (im Mazon´s Hotel in Shangani): Tel.: 2234 521, Fax: 2234 420

Air Tansania (Nähe Majestic Cinema): Tel.: 2230 297, Fax: 2230 213

Kenia Airways (gegenüber Gulf Air): Tel.: 2232 041/2/3

Eagle Air: Tel.: 2127 411/12, Fax: 2127 415, E-Mail: eagleair@africaonline.co.tz

Dar Es Salaam-Sansibar: Air Tansania: US$ 55, Precicion Air: US$ 55, Kenia Airways: US$ 55, Zan Air: US$ 45

Arusha-Sansibar: Air Tansania: US$ 165, Precicion Air: US$ 165, Zan Air: US$ 150, Coastal Travel: US$ 180

Mombasa-Sansibar: Air Tansania: US$ 63, Kenia Airways: US$ 63

Nairobi-Sansibar: Air Tansania: US$ 144, Kenia Airways: US$ 144, Precicion Air: US$ 140
Mafia-Sansibar: Precicion Air: US$ 85

Pemba-Sansibar: Zan Air: US$ 70, Eagle Air: US$ 60

Per Schiff
Es gibt verschiedene Schiffe, die regelmäßig den Fährdienst vom/zum Festland, bzw. von/nach Pemba und Mafia übernehmen. Wir empfehlen auch bei kleinem Geldbeutel die Schnellboote, denn die langsamen Fähren sind sehr herunterge-

kommen und der Sicherheitsaspekt lässt ebenso zu wünschen übrig. Die Überfahrt mit den traditionellen Dhauen ist offiziell für Touristen nicht mehr erlaubt. Genaue Informationen bezüglich der Abfahrtstermine der Schiffe bekommt man direkt im Hafen. Machen Sie sich aber dort auf einen anstrengenden Ticketkauf gefasst. An jeder Ecke will Ihnen ein anderer Händler ein Billet seiner Kompanie verkaufen. Kaufen Sie die Tickets jedoch unbedingt am Schalter und nicht bei den „fliegenden Händlern". Die Preise für die langsamen Fähren unterscheiden sich kaum. Das schnellere Speedboat kostet entsprechend mehr, lohnt sich aber. ***Achtung:*** Alle Preisangaben beziehen sich auf die einfache Fahrt! Hafensteuer: US$ 5

Sansibar-Pemba/Pemba-Sansibar
Normale Fähren: US$ 20, Fahrtdauer: ca. 4 Stunden, Abfahrt: immer gegen Abend bzw. in der Nacht, täglich. Speedboat: US$ 50, Fahrtdauer: 2 Stunden, täglich

Sansibar-Dar es Salaam/Dar es Salaam-Sansibar
Speedboot: US$ 35, Fahrtdauer: ca. 1,5 Stunden, täglich

Sansibar-Mombasa/Mombasa-Sansibar
Speedboat: US$ 60, Fahrtdauer: ca. 6 Stunden, 2x wöchentlich

Apotheken

Verkauft werden in den Apotheken neben afrikanischen Produkten auch amerikanische und europäische. Das Sortiment ist zwar nicht besondere breit gefächert, aber das Nötigste ist jedenfalls zu bekommen. Allerdings nur in Stone Town. An der Ostküste muss man sich im Notfall an die Krankenstationen vorort wenden.
Shamshu Pharmacy (am Darajani Markt): Tel.: 2232 641
Apotheke in der Old Dispensary (Mizingani Road).

Auskunft

Von Deutschland aus: ***Botschaft der Vereinigten Republik Tansania***
Theaterplatz 26, 53177 Bonn-Bad Godesberg, Tel.: 0228-358051, Fax: 358226

Auf Sansibar: ***Deutsches Honorarkonsulat***
Dr. Meffert, Kenyatta Road, Stone Town, Tel.: 2232 672

Zanzibar Tourist Corporation (ZTC)
Wenn es um Auskunftsstellen für Touristen geht, wird in fast jedem Reiseführer, Reisebericht oder Zeitungsartikel vom Livingstone House gesprochen. Obwohl die Infostelle „Tourist Corporation" genannt wird, sind die Informationen, die man dort angeblich erhält, gleich null. Den Weg kann man sich sparen, denn dort verschlafen nur ein paar staatliche Angestellte ihre Arbeitszeit. Von irgendwelchen nützlichen Informationen ist weit und breit nichts zu spüren, obwohl es heißt, dass die staatlichen Hotel (z. B. das auf Changuu Island) nur über dieses „Büro" zu buchen sind. Wer es dort nicht schafft, sollte sich bei den Reisebüros in der Stadt erkundigen. (Siehe Kapitel Reisebüros in Stone Town)

Tourist Information
Die am Ende des Forodhani Gardens beschilderte Touristenauskunft ist keine unabhängige Stelle, sondern ein Buchungsbüro für bestimmte Hotels an der Ostküste.

Fazit: Da die Namen der oben aufgeführten Büros zwar nach touristischen Informationsstellen klingen, aber kaum brauchbare Auskünfte bieten, wenden Sie sich diesbezüglich am besten an eines der empfohlenen Reisebüros! Dort bekommen Sie stichhaltige Informationen.

Internetadressen

www.allaboutzanzibar.com
www.zanzibar.net
www.atoll.de
www.moja.com/travel
www.zanzibartourism.net
www.tanza.com
www.tanzania-web.com
www.tanzania-web.com
www.swahilicost.com
www.zanzibar-archives.com

Ein Arbeitssklave kostete im Jahr 1870 im inneren Ostafrikas umgerechnet 2.50 Mark. Auf dem Sklavenmarkt in Stone Town wurde er für 50 bis 100 Mark weiterverkauft

Betteln

Überall auf Sansibar werden Ihnen Kinder entgegenlaufen, die „Penny school" brüllen. Das ist eher als Kontaktaufnahme gedacht, als dass die Kinder wirklich mit einem „Penny für die Schule" rechnen würden. Sie sollten den Kindern konsequent kein Geld und keine Bonbons geben. Ein Kind, das nur einmal ein paar Schillingi von einem Touristen bekommen hat, wird immer wieder betteln. Dadurch schaffen Touristen unbewusst ein noch viel größeres Problem. Wer wirklich helfen möchte, sollte Stifte oder Kinderkleidung bei einer Schule abgeben. Dort werden die Sachen dann gerecht verteilt. Wenn Erwachsene mit einer offensichtlichen Behinderung betteln, ist das etwas anderes. Sie sind auf diese Weise in die Gesellschaft integriert und leben vom Betteln.

Bestechung

Bestechung ist in Sansibar an der Tagesordnung. Was die Politiker in großem Stil praktizieren, machen alle anderen im kleinen Stil nach. 20 Dollar unter dem Tisch überreicht, kostet die fehlende Gelbfieberimpfung bei der Passkontrolle. Auch mit den Polizisten an der Straßenkontrolle lässt es sich wegen des fehlenden Führerscheins durchaus verhandeln. Gewöhnlich führt man erst mal ein freundliches, privates Gespräch und kommt dann zur Sache. Unterstützt wird die eigene Position durch das Vorhandensein einer respektablen Familie, die Sie zur Not schnell erfinden sollten. Denn wer viele Kinder hat, besitzt viel Ansehen und dann klappt manches, ohne dass ein Geldschein den Besitzer wechseln muss. Insbesondere bei den zahlreichen Straßenkontrollen kann es immer sein, dass man für irgendetwas bezahlen soll. Und: Je näher das Monatsende rückt, desto teuerer wird es. Wenn man dieses Spiel nicht mitspielen möchte, sollte man vor seiner Abreise fleißig swahili lernen oder einen Einheimischen dabeihaben, der die Sache regelt.

Camping

Auf Sansibar gibt es keinen offiziellen Campingplatz und wildes Camping ist grundsätzlich verboten. Wenn man jedoch kein Dach über dem Kopf hat, besteht die Möglichkeit, bei den günstigen Hotels nach einem Platz für sein Zelt zu fragen. Mit Glück bekommt man die Erlaubnis des Besitzers.

Einreisebestimmungen

Zur Einreise nach Sansibar bzw. Tansania benötigen man ein Visum. Deutsche und Österreicher zahlen dafür DM 40 und Schweizer DM 48. Um das zu bekommen, sollte man sich rechtzeitig, ca. drei bis vier Wochen vor der Reise an die Botschaft von Tansania oder an das Honorarkonsulat wenden. Allerdings muss der Hin- und Rückflug dann schon gebucht sein. Der Reisepass muss als Original eingesendet werden. Eine Impfbescheinigung gegen Gelbfieber sollte vorgelegt werden. Falls man über ein Nachbarland einreist oder insgesamt zu spät dran ist mit den Reisevorbereitungen, kann man auch an der Grenze oder am Flughafen ein Visum bekommen, denn Europäer sind grundsätzlich willkommen. Dann muss man sich allerdings auf Wartezeiten gefasst machen, die leider ganz und gar nicht berechenbar sind.

Botschaft von Tansania, Visa-Abteilung, Theaterplatz 26, 53177 Bonn
Tel.: 0228/3580 51-4, Fax: 0228/3582 26 , E-Mail: tzbonn.habari@t-online.de
Internet: www.tanzania-gov.de

oder:

Honorarkonsulat der Republik Tansania, Normannweg 17-21,
20537 Hamburg, Tel.: 040/250 79 36, Fax: 040/254 56 289

Fahrrad

Fahrradverleih

Auf Sansibar sind chinesische Fahrräder das gängigste Fortbewegungsmittel. Wer modern sein will, bekommt aber auch Mountainbikes im Verleih angeboten. Leihmöglichkeiten gibt es viele. Die Räder an der Mizingani Road sind meistens teuer. Wir empfehlen folgenden Fahrradverleih am Darajani Markt (siehe Stadtplan):

Adam Store, Tel.: 223 1366, Leihgebühr: Tsh 4000 pro Tag, bei längerer Dauer Tsh 3500 pro Tag. Adam übernimmt auch evt. Reparaturen und bemüht sich um perfekten Service.

Adam verleiht am Darajani-Markt original chinesische Fahrräder zu fairen Konditionen und spricht sogar Englisch

In Stone Town, der Hauptstadt von Sansibar, ist das Rad das wichtigste Transportmittel. Männer radeln, Frauen sitzen elegant im Damensitz auf dem Gepäckträger. Das ist die perfekte Art die steinerne Stadt zu erkunden, wenn sie keine Lust haben, zu laufen. Und wie es ist, ganz um die Insel zu fahren, haben uns zwei Weltenbummler aufgeschrieben. Denn Sansibar und Pemba sind flache Inseln, und auch wenn die Straßenverhältnisse afrikanisch sind, bietet sich eine Erkundungstour per Bike durchaus an.

Ein Reisebericht von Elgard und Klaus Schulz-Tischhäuser

Auf unserer Fahrradreise von Nord nach Süd quer durch den afrikanischen Kontinent kommen wir natürlich auch an Sansibar vorbei. Von Tanga (Kenia) aus sind wir per Schiff (Schnellboot „Sea Express“) über Pemba nach Sansibar angereist. Der Transport unserer Fahrräder samt Taschen (120 kg) auf dem nur für Passagiere ausgelegten Schiff ist völlig problemlos und dazu auch noch gratis!

Nach ein paar Tagen Stone Town geht es los mit der geplanten Inselumrundung. Wir haben uns für die Variante im Uhrzeigersinn entschieden. Von Stone Town geht es über Bububu, Kinyasini, Kigunda in Richtung Nungwi, dem nördlichsten Zipfel von Sansibar. Bis auf die letzten Kilometer ist die Straße sehr gut. Die Sansibari rufen uns überall Grüße zu und oftmals hören wir sogar ein „Ciao“. Die nahen italienischen Ferienanlagen lassen grüßen. Es ist ein friedliches Fahren mit wenig Verkehr.

Kurz nach Kigunda wird die Straße merklich schlechter, der Teer ist an vielen Stellen kaputt und hat große Löcher. Für uns aber kein Problem, denn am Rand gibt es immer eine ausgefahrene Spur. Ein paar Kilometer später ist die Teerstraße dann ganz zu Ende und die Piste fängt an. Hier biegen wir nach links ab und erreichen nach ca. 3 km Kendwa. Der richtige Ort zum Baden, Faulenzen und Ausspannen.

Von Kendwa führt uns unsere nächste Etappe nach Pwani Mchangani. Zunächst fahren wir zurück nach Mwkajuni und dann nach Matemwe auf der Ostseite der Insel. Bis dahin ist zu unserer Überraschung alles geteert, südlich davon landen wir allerdings auf einer richtigen Sandpiste. Sehr mühsam mit dem Fahrrad, vor allem dann, wenn die Gezeiten es unmöglich machen, auf dem Strand zu fahren – wo wir uns schon so darauf gefreut haben.
Deswegen beobachten wir von nun an den Gezeitenwechsel und wissen jetzt, wann wir am besten aufbrechen.
Bis Kiwengwa ist der Strand sehr schön und ideal zum Fahrradfahren, auch wenn uns ein relativ starker Gegenwind entgegenbläst. Wichtig zu wissen: Wenn die Sonne nördlich des Äquators steht, kommt der Wind von Süden, sonst aus dem Norden.
Nach Kiwengwa wird es steinig, und spitze Korallenblöcke machen das Fahren bald unmöglich. Wir müssen schieben.
In Pongwe wechseln wir wieder auf die Straße, die ab hier auch wieder asphaltiert ist. Fast ohne Verkehr rollen wir durch die Landschaft. Die Vegetation mit Kiefern und Gräsern erinnert mich ein bisschen an die Friesischen Inseln.
In Chwaka angekommen, möchten wir mit einer Dhau (mit Motor!) nach Michamwi über die Bay fahren. Wir finden ein Boot und vereinbaren einen Preis von Tsh 10.000. Dann geht es los. Nach einer schönen und geruhsamen Überfahrt von einer knappen Stunde, bei der wir die ganze Zeit den Meeresgrund sehen konnten, kommen wir auf der anderen Seite an.
Dort ist die Piste, entgegen unserer Befürchtung, sehr gut. Die Luxushotels an diesem Küstenstreifen werden ihren Beitrag dazu geleistet haben. Einen Tag Ausspannen bei Andis idyllischem Karibuni und schon geht es wieder weiter. Es ist Ebbe und wir starten wieder einmal am Strand. Irgendwie kommen wir aber nicht so richtig vorwärts, denn der Sand ist relativ weich, der Wind hingegen stark. So haben wir uns das nicht vorgestellt. Neidvoll blicken wir auf die entgegenkommenden Radler! Im „Blue Oyster Hotel“ machen wir Halt.

Am nächsten Tag starten wir auf unsere letzte Etappe. Von Jambiani aus geht es über eine steinige und raue Piste durch grüne Baum- und Strauchlandschaften nach Makunduchi. Auch ab hier ist der größte Teil der Stecke asphaltiert und der Rest in Vorbereitung. In Kizimkazi stärken wir uns für die letzten 60 km direkt am Strand mit delikaten „Kartoffeln in Kokosnusssoße mit Fisch“ und beobachten Touristen, die glücklich und zufrieden von ihrem „Dolphin-Trip“ zurückkommen. Ab jetzt fahren wir endlich mit dem Wind. Bis Kitogani klappt das auch ganz prima. Vor Pete machen wir eine Rast und beobachten die „Red Colobus-Affen“ in den Bäumen.
Die letzten 40 km bis Stone Town sind sehr schön. Wir fahren durch richtige Alleen von Mangobäumen. Die Vegetation ist herrlich tropisch und üppig. Einheimische Radfahrer grüßen uns. Sie transportieren jede Menge Orangen oder Mangos oder machen hupend auf den Fisch aufmerksam, den sie auf dem Gepäckträger verstaut haben. Sansibarische Radfahrer sind typische Afrikaner. Sie fahren langsam und gemütlich, bis wir sie überholen. Aber dann legen sie sich richtig ins Zeug, um wieder an uns vorbeizukommen oder mit uns zu schwatzen. Nach gut 250 km (4 reine Fahrtage!) haben wir die Insel umrundet.

Unser Fazit: Sansibar ist eine Insel, die sich aufgrund ihrer Größe und dem vorhandenen Straßennetz sehr gut mit dem Fahrrad erkunden und bereisen lässt. Sie ist nicht geeignet für Leute, die eine sportliche Herausforderung suchen, da alles flach ist und die Distanzen zwischen den Orten relativ kurz sind. Die lokalen Mieträder sind hierfür bestens geeignet, was auch den Vorteil hat, dass die eigenen Räder nicht dem aggressiven Salzwasser ausgesetzt sind. Fahrräder können überall mit dem Dalla-Dalla oder mit Booten transportiert werden. Pannen sind also in der Regel kein Problem. Fahrräder bieten zudem eine große Unabhängigkeit von den zum Teil in abgelegenen Gebieten sehr teuren Verkehrsmitteln. Bei einer Tourenplanung empfiehlt sich, die Windrichtung und den Gezeitenwechsel mit einzubeziehen, dann kann eigentlich nichts mehr schief gehen.

Fahrzeugverleih

Achtung! Die englischen Kolonialherren haben den Linksverkehr hinterlassen. Um Autos und Motorräder zu mieten, benötigen Sie unbedingt einen internationalen Führerschein, denn bei Ihren Touren über die Insel treffen Sie des öfteren auf Kontrollstationen der Polizei, die Ihre internationale Fahrerlaubnis überprüfen. Wer diese zu Hause vergessen hat, hat zwar noch eine zweite, unter Umständen aber aufwändige Chance: In diesem Fall kann man sich eine spezielle Erlaubnis besorgen, die die gleiche Funktion erfüllt. Erhältlich ist sie bei der Commission of Communication and Transport in einem der Hafengebäude (siehe Stadtplan). Man legt dort seinen deutschen Führerschein vor, bezahlt Ths 5000 (der Betrag wechselte bei jeder Nachfrage erneut!!) und erhält dafür einen „Permit", der während des ganzen Aufenthaltes gilt, egal, ob Sie das Fahrzeug für einen Tag, eine Woche oder mehrere Tage einzeln mieten. Dieser Vorgang klingt zwar recht einfach, aber in der Realität sollte man sich zumindest in Stone Town auf eine längere Prozedur einstellen.
An der Ostküste gelang es nach unserer Erfahrung einfacher. Dort beauftragt man am besten den Vermieter des Fahrzeugs, die Erlaubnis bei der Polizeistation einzuholen. Das klappte bei uns perfekt und kostete nur Ths 2000!

Autos

Tropical Tours & Safaris im Stadtteil Shangani über dem Sunrise Restaurant, Tel.: 2230 868, mobil: 0747-41 34 54, E-Mail: tropical@zanzinet.com

Al Ridha Transport and Hire Sercice, New Mkundazini Road, Tel.: 2233 810
Preise: ca. US$ 45–50 pro Tag

Vespas

Sehr positive Rückmeldungen in Bezug auf die Qualität der Fahrzeuge erhielten wir von folgender Verleihstation:
Fundi Nassor, New Mkundazini Road, Tel.: 2237 273, Leihgebühr: US$ 15–20 pro Tag, US$ 70 pro Woche

Fotografieren
Es ist schwierig und kostspielig, auf Sansibar Filme zu bekommen. Insbesondere um Diafilme aufzutreiben, muss man fast detektivische Fähigkeiten besitzen. Dazu kommt, dass die Qualität nicht gewährleistet ist. Packen Sie deswegen lieber zu viele Filme ein als zu wenige. Die Menschen lassen sich nicht immer gerne fotografieren. Am besten vorher höflich fragen. In der letzten Zeit beginnen die Leute Geld zu verlangen, wenn man den Wunsch äußert, sie abzulichten. In diesem Fall muss jeder selbst entscheiden, ob er sich darauf einlassen möchte. Handeln ist wie immer möglich!

Feste

Die für Touristen interessanten Feste finden beide im Sommer statt: Mwaka Kogwa ist das persische Neujahrsfest, das noch aus der vorislamischen Zeit stammt. Doch so wichtig die Religion in Sansibar auch ist, ein so unterhaltsames Fest wie das ***Mwaka Kogwa*** wollte man – trotz aller Proteste – nicht einfach aufgeben. Hier werden mit Kämpfen und Opferschlachtungen vier Tage lang die Geister ausgetrieben. Das Fest beginnt bis 2003 am 22.Juli. Ab 2004 ist der 23.Juli der erste Tag, an dem es traditionell am meisten zu sehen gibt. (Siehe auch Kasten unter Makunduchi.)
Tamasha la Nichi za Jahazi: Das „Festival der Dhau Countries“ ist eines der bedeutendsten Kulturereignisse Ostafrikas. Hier werden jeden Sommer 16 Tage lang Filme, Musik und Tanz aus den Ländern präsentiert, die einst durch die Handelskultur der hölzernen Segelschiffe verknüpft waren.
Es beginnt jeweils in der ersten Juliwoche (siehe Kasten Kultur).

Geld

In Sansibar gibt es zwei bzw. drei Währungen. Die erste ist der Tanzania-Shilling (Tsh). Für alle wichtigen Geldgeschäfte wie Flugtickets und Hotels sollte man die zweite Währung, nämlich US-Dollar (US$) dabeihaben. Das ist hier die harte Währung, in der die meisten Preise wie Hotels, Motorrad- oder Autovermietung angegeben werden.
Am einfachsten ist es, Bargeld zu tauschen und zwar US$. Dafür bekommt man den besten Wechselkurs. Wir können allerdings nicht dazu raten, mit Unmengen von Bargeld zu reisen. Wer nicht allzu viel davon mit sich rumschleppen möchte, sollte auf Traveller-Schecks ausweichen. (Wenn man Dollars braucht, sollten es US$- und keine DM-Schecks sein, sonst macht man beim Wechseln zu viel Verlust). Die können auf der Bank und in Wechselstuben eingetauscht werden. (Tipp: Kleine Scheine geben lassen, denn Wechselgeld hat eigentlich niemand) Pro Scheck werden in der Regel Tsh 300 Gebühr berechnet. Zur Zeit unserer Recherche war der Wechselkurs: US$ 1 = Tsh 800 – DM 1 = Tsh 380

Bargeld tauscht man nicht in der Bank, sondern in den Wechselstuben (Bureau de Change), da gibt es den besseren Kurs. In den großen Hotels kann man zwar mit Kreditkarte bezahlen, allerdings wird hier üblicherweise 10 bis 15 Prozent aufgeschlagen. Mit einer Karte Bargeld zu holen, ist nur in Stone Town in einem Wechselbüro neben dem Serena Inn Hotel und im Suma Office (Mlandege Markt, 1. kleine Gasse links) möglich. So eine „Kartengeld-Aktion“ sollte nur im Notfall durchgeführt werden, weil sie mit sehr hohen Verlusten verbunden ist. Außerdem werden nur Tsh ausgezahlt.

Das dritte Währungssystem gilt nur für „Muzungus“. Ein Muzungu ist ein Weißer, und für den gelten auf Märkten und in kleinen Bars grundsätzlich andere Preise als für Einheimische. Wenn man bedenkt, dass Sansibar zu einem der ärmsten Länder der Erde gehört und das geschätzte Pro-Kopf-Einkommen US$ 218 pro Jahr beträgt, dann ist es sicher völlig in Ordnung, als Europäer etwas mehr zu bezahlen. Nur ist die Frage, wie viel mehr?

Jeder, der schon mal weiter gereist ist als bis in das Allgäu oder mit dem Butterfahrtschiff nach Dänemark, weiß, dass man am ersten Tag im neuen Land traditionell übers Ohr gehauen wird. Das ist in Sansibar nicht anders. Es ist nicht etwa böse gemeint, aber mit einem taufrischen Muzungu, der wahrscheinlich völlig übermüdet aus der Flughafenhütte stolpert, lässt sich schon ein gutes Geschäft machen. Und warum sollte man sich das entgehen lassen? Das Land ist arm, die Familien sind groß und am Abend soll für alle Kinder Reis auf dem Tisch stehen. Aber sobald man die richtigen Preise kennt und mit freundlichem Lachen die völlig überhöhten Preisvorschläge ablehnt, wird man schnell handelseinig. Allerdings sollte man sein Geld und alle Wertsachen immer am Körper tragen und Kleingeld für den Tagesbedarf extra aufbewahren. Diebstähle, geplant oder ungeplant, kommen vor.

Bei Festen möchten alle schön sein:
Das heißt hier Kraushaare glatt machen
auf Teufel komm raus

Gesundheit

Mit kleineren gesundheitlichen Problemen kann man auf Sansibar in Stone Town ins Krankenhaus gehen oder besser noch zu den privaten Krankenstationen in Stone Town. Auf dem Land wird Ihnen nichts anderes übrig bleiben, als die Krankenstation des Dorfes. Ob Sie dann allerdings bei einem ausgebildeten Arzt oder einer Ärztin landen, ist schwer zu erkennen. Denn über den Titel gibt es einige Unklarheiten. Auch technische Assistenten werden hier „Daktari", also Doktor, genannt. So kann ein Tourist oft gar nicht verstehen, dass er nie einen Doktor zu Gesicht bekommen hat. Sobald es sich um ernsthafte Erkrankungen oder einen schweren Unfall handelt, sollten Sie umgehend einen europäischen Arzt aufsuchen. Insbesondere deshalb, weil er – falls notwendig – den Transport über die Flying Doktors umgehend in die Wege leiten wird. Dort sind medizinische Spezialisten an Bord. Die Überführung muss Ihre Krankenversicherung übernehmen. Bevor die Kostenfrage jedoch nicht geklärt ist, wird keine Fluggesellschaft einen kranken Menschen an Bord nehmen. Bei der Klärung der Kostenfrage geht im Ernstfall viel wertvolle Zeit verloren. Deshalb sollten Sie ihre Versicherungspolice mit der Notfall-Telefonnummer und Faxnummer immer bei sich haben.

Was kann passieren?

Die häufigste Erkrankung, die bei Europäern in den Tropen vorkommt, ist Durchfall, der durch Bakterien (escherischia coli) oder Viren hervorgerufen wird. Die Ansteckung erfolgt über verschmutztes Wasser und Lebensmittel, die mit Wasser gewaschen oder zubereitet werden. Ein weiteres Risiko ist Malaria, die sich in Sansibar insbesondere nach der Regenzeit ausbreitet, da die Pfützen sich als ideale Brutstätten für die Anophelesmücke anbieten. Zudem ist die Sonneneinstrahlung sehr stark. Sonnenschutzprodukte für die Haut mit sehr hohen Lichtschutzfaktoren und eine Kopfbedeckung sollten selbstverständlich sein.

Was kann man vorbeugend tun?

Alle Lebensmittel schälen, abkochen oder grillen. Außerdem zum Trinken und Zähneputzen nur abgepacktes, verschlossenes Wasser verwenden. Auf Eiswürfel sollte man grundsätzlich verzichten.

Homosexualität

Für Homosexualität hat eine moslemische Kultur nicht allzu viel Verständnis. Öffentlich auf der Straße oder in Bars Zärtlichkeiten auszutauschen, gilt aber selbst für Heteros als tabu. Sexualität findet hier nur hinter verschlossen Türen statt. Ansonsten kann man als gleichgeschlechtliches Paar unproblematisch reisen, da Männer und Frauen ohnehin weitgehend in getrennten Bereichen leben. Dass zwei Männer oder Frauen in einem Bett schlafen, ist deshalb überhaupt nicht ungewöhnlich und fällt gar nicht auf. Besondere Treffpunkte gibt es zwar einige in Stone Town, sie sind aber so düster, dass sie nicht empfehlenswert sind. Gay-Nightlife findet man also kaum.

Impfungen/Malaria

Die Angaben über erforderliche Impfungen schwanken. Auskunft über den aktuellen Stand der benötigten Impfungen gibt das Tropeninstitut in Berlin, Tel.: 040-319 2077, die Botschaft von Tansania (siehe Kapitel Auskunft) oder die Weltgesundheitsorganisation (www.who.org). Im Normalfall wird bei der Einreise eine Gelbfieberimpfungen verlangt, vorgeschrieben ist sie allerdings nicht. Empfohlen wird zusätzlich Hepatitis A und B, sowie eine Cholera- und Typhusimpfung.

Unbedingt notwendig ist eine Malaria-Prophylaxe. Welche Vorbeugung gegen Malaria jedoch empfohlen wird, ist von Arzt zu Arzt und von Tropeninstitut zu Tropeninstitut unterschiedlich. Einige Mediziner raten zu einer Kombination aus Resochin und Paludrine, und andere empfehlen Lariam, eines der stärksten und wirksamsten Mittel. Das Problem bei Lariam ist allerdings die Verträglichkeit. Das Präparat hat unter Umständen sehr starke Nebenwirkungen, wie Magenunverträglichkeit, Depressionen (!),

Kopfschmerzen und ähnliches. Verständlich, denn dieses Mittel hat es in sich. Neben der Prophylaxe wird es auch zur Behandlung angewendet, wenn einen die Malaria erwischt hat. Dann hilft nur noch die Mega-Dosis. Wer Lariam allerdings zur Prophylaxe einnimmt, kann es nicht mehr zur Behandlung nutzen, wenn die Malaria trotz Präventionsmaßnahme zuschlägt.

Bei den Einheimischen wird – für unser Ermessen unverständlich – Malaria wie eine Grippe behandelt. Man nimmt eine paar Pillen, und danach geht das schon wieder. Nur leider ist diese Malaria nicht ausgeheilt und kann jederzeit wieder ausbrechen. Tut sie auch meistens, aber die Locals sind es gewöhnt, von Zeit zu Zeit immer mal wieder Malariaschübe zu bekommen. Dass die Parasiten nie ganz aus dem Körper eliminiert sind, liegt mit an der Behandlung. Die Einheimischen können sich das teure Lariam nicht leisten, ganz zu schweigen, dass es vor Ort überhaupt nicht erhältlich ist. Also, auch wenn Sie sich gegen Lariam als Prophylaxe entscheiden, sollten Sie für den Notfall immer ein Packung bei sich haben, falls es Sie doch erwischen sollte.

Am Mwaka Kogwa, dem persischen Neujahrsfest, darf man sich offiziell prügeln: Denn nur das garantiert wieder ein Jahr Frieden im Dorf.

Fansidar ist heutzutage das lokale Medikament. Von der Regierung „vorgeschlagen“, ist es seit der Ablösung von Chloroquinine das häufigste Mittel, das zur Behandlung eingenommen wird. Für jedermann erschwinglich und leicht zu besorgen.

Tipp: Die ersten Symptome einer Malariainfektion sind Unwohlsein, Schwindel und Kopfschmerzen mit Druck hinter den Augen.

Alternative Medikamente zur Behandlung bzw. zur Prophylaxe von Malaria:
- Mefloquin, ein ähnliches Produkt wie Lariam, aber etwas schwächer
- Cotexin bzw. Artemisin, Präparate aus China, angeblich 100%ig sicher (sicher weiß das aber unserer Meinung nach keiner).
- Malorone, ein Produkt aus Kanada, das bei Drucklegung noch nicht auf dem europäischen Markt erhältlich, aber geplant ist

Anmerkung: Zu allen Produkten sollten Sie sich zusätzlich ausführlich bei Ihrem Arzt informieren und sich auf den neuesten Stand der Wissenschaft bringen lassen!

Fazit: Die Frage der Prophylaxe ist schwierig zu beantworten. Schlussendlich muss jeder selbst entscheiden, was er tun möchte. Auf Nummer sicher gehen und unter Umständen extreme Nebenwirkungen in Kauf nehmen oder besser ein Produkt wählen, das keinen hundertprozentigen Schutz bietet, jedoch verträglicher ist. Extrem wichtig ist im diesem Fall, Mückenstiche zu vermeiden. Bringen Sie ein Moskitonetz über dem Bett an. In den Hotels sind diese Netze zwar obligatorisch, allerdings häufig mit Löchern übersät, so dass der gut gemeinte Service nichts bringt. Packen Sie sich deswegen am besten ihr eigenes Netz mit in den Rucksack, bzw. besorgen Sie sich eines auf dem Markt in Stone Town, sie werden dort an jeder Ecke angeboten. Ansonsten immer Nadel und Faden im Rucksack haben für eventuelle Schneiderarbeiten. Was zusätzlich als Schutz vor den lästigen Mücken auf keinen Fall fehlen darf, ist das entsprechende Hautschutzmittel. Da die Stiche in hiesigen Breiten einfach nur lästig jucken, aber in tropischen Regionen wie Sansibar unter Umständen lebensbedrohlich sind, sollte jeder Reisenden auf die Gewürzinsel genug Abwehrmittel bereithalten, denn besonders in der Abenddämmerung sind die kleinen Monster angriffslustig. Als Hautschutzmittel empfehlen wir „Autan Family Milch“, „Zedan“ oder „Zanzarin“, beides Bio-Lotionen aus dem Reformhaus.

Internet

Möglichkeiten zum Mailen gibt es inzwischen jede Menge in Stone Town. Die meisten befinden sich in der Hurumzi Street (siehe Stadtplan). Der normale Preis beläuft sich auf ca. Tsh 500 pro angefangene halbe Stunde. Wir empfehlen ***Next Step Services***, Hurumzi Street, Tel.: 2235 820, E-Mail: next@zitec.org
Internetadressen für Infos über Sansibar: siehe Kapitel Auskunft.

Kinder

Die Familien mit Kinder, mit denen wir gesprochen haben, machten zum größten Teil gute Erfahrungen. Besonders die Ostküste ist geeignet, denn die Strände fallen flach ab und es gibt keine gefährlichen Strömungen. Kinder bis ca. 7 Jahren sind normalerweise im Zimmer der Eltern frei, bis 12 Jahren wird bei den Mahlzeiten und den Unterkünften in der Regel der halbe Preis verlangt.

Kleidung

Sansibar ist ein moslemisches Land. Das Fremdenverkehrsbüro bittet dringend darum, dass Touristen ihre Kultur respektieren. Als Frau sollte man deshalb Arme und Beine bedeckt halten, zumindest in der Stadt und auf Reisen. Ein Kopftuch sorgt für mehr Respekt, muss aber nicht sein. Bauchfrei und mit nackten Armen durch die Stadt zu laufen ist indiskutabel und verletzt die Sansibari in ihrem Stolz. Auch Männer sollten in der Stadt Hemd und Hose tragen. Am Strand und beim Baden im Indischen Ozean kann man aber durchaus den Bikini auspacken. Dass keine Frau „oben ohne“ rumlaufen kann, ohne den Hass der Bevölkerung auf sich zu ziehen, versteht sich von selbst.

Klima

Auf Sansibar herrscht äquatoriales Küstenklima. Das heißt, es ist feucht und heiß (durchschnittliche Temperatur ca. 30 Grad Celsius). Die Temperaturschwankungen sind das Jahr über minimal. Die große Regenzeit dauert von März bis Mai, die kleine von Oktober bis November. Beste Reisezeit: Von Dezember bis Februar und von August bis September.

Literatur

Bildbände:

Doors of Zanzibar. Photographs by Uwe Rau
ISBN: 0-9521726-6-6
Historical Zanzibar – Romance of the Ages
ISBN: 0-9521726-2-3
Images of Zanzibar
ISBN: 0-9521726-4-X

Belletristik:

Kaye, M.M.: Tod in Sansibar, Goldmann Verlag
Lieve, Joris: Die Sängerin von Sansibar, Matik Verlag
Ructc, Emily, geb. Prinzessin von Oman und Sansibar:
Leben im Sultanspalast, Philo-Verlag 1998
Ruete, Emily, geb. Prinzessin von Oman und Sansibar:
Briefe nach der Heimat, Philo-Verlag 1999

Sprachführer:

Martn, B.: Swahili Phrasebook. Lonely Planet Publikations, 1998
Friedrich, Christoph: Kisuaheli Wort für Wort, Kauderwelsch Band 10.
Reise Know-How 2000, ISBN 3-89416-074-8

Öffentlicher Transport

Dalla-Dalla

Die günstigste, aber auch anstrengendste Variante, sich auf der Insel zu bewegen, ist das Dalla-Dalla. Ein lastwagenähnliches Gefährt mit einer typischen

Holzverkleidung, auf deren Ladefläche man mit jeder Menge Einheimischer reist. Jedes Dalla-Dalla hat eine Nummer, die das Fahrtziel angibt. Diese Fahrzeuge verkehren zwar mehrmals täglich, aber feste Abfahrtszeiten gibt es nicht. Wenn die einfachen Sitzplätze auf der Ladefläche der abenteuerlichen Trucks voll sind, geht es los. Welches Dalla-Dalla in welche Richtung fährt, ist in den Kapiteln „Wie kommt man rum“ der einzelnen Dörfern bzw. bei Stone Town beschrieben. Die zentrale Abfahrtstation in Stone Town befindet sich an der Creek Road gegenüber dem Darajani Markt.

Minibusse

Zu den Küstenorten im Norden und Osten der Inseln pendeln Minibusse, die vor allem Touristen transportieren. Die Preise sind im Vergleich zu den Dalla-Dallas um einiges höher, aber dennoch lohnt sich die Investition, denn man kommt schneller

Die Dalla-Dallas sind das günstigste Transportmittel

und bequemer an sein Ziel. Organisiert werden die Touren vor allem von den Hotels und Guesthouses. Wenn Sie also einen Trip beispielweise an die Ostküste planen, buchen Sie einen Platz im Minibus an der Rezeption Ihrer Unterkunft.

Öffnungszeiten

In Geschäften: Wochentags von 9–14.30 Uhr und 6.30–18 Uhr.
Öffentliche Einrichtungen: Wochentags von 7–15 Uhr.
Freitag nachmittags, samstags und Sonntag nachmittags sind alle Läden, Büros, Banken usw. geschlossen.

Post

Öffnungszeiten: Mo–Do 8–13 Uhr und 14–16.30 Uhr, Fr 8–12 Uhr und 14–17 Uhr, Sa 9–12 Uhr.
Für einen Brief nach Deutschland benötigen Sie eine Briefmarke zu Tsh 600 und für eine Postkarte Tsh ~~400.~~ 600

Eine Sache für sich ist das Telefonieren mit den öffentlichen Fernsprechern an der Post. So wird´s gemacht:

Karte einlegen, warten, bis die Verbindung zu Stande kommt, danach sofort auf den Knopf mit den beiden Fahnen drücken. Dann bleibt die Verbindung bestehen. Wenn gar nichts geht, liegt das nicht unbedingt an Ihnen. Die Telefonleitungen auf den Inseln fallen auch mal tagelang aus. Die Jungs, die sich dort „hilfsbereit“ rumtreiben, sollten Sie nach Möglichkeit ignorieren. Sie haben nur die Absicht, Ihnen Telefonkarten zu überhöhtem Preis anzudrehen. Telefonkarten gibt es nicht nur bei ihnen – wie sie fälschlicherweise behaupten – sondern auch auf dem Postamt (rechte Eingangstür). Vor allem billiger:

10 Einheiten – Tsh 1000, 20 Einheiten – Tsh 1500, 40 Einheiten – Tsh 2000

Fax

Ein öffentliches Faxgerät steht Ihnen ebenfalls zur Verfügung (rechte Eingangstür).
Ein Fax erhalten: Von Deutschland aus muss man folgende Nummer wählen: 00255-24-2230 344. Ihr Fax wird dann für Sie beim Postbeamten hinterlegt. Kosten: Tsh 400.
Ein Fax verschicken: Tsh 2900 pro Minute. Weitere Informationen: siehe Kapitel Telefonieren.

Reisebüros in Stone Town

So genannte lokale Reisebüros sprießen zwar an jeder Ecke in Stone Town aus dem Boden, aber nicht jedes trägt seinen Namen mit Recht. Viele von ihnen arbeiten unprofessionell und inkompetent. Damit Sie keine zeitintensiven Auswahlverfahren vor Ort starten müssen, gibt es hier unsere Empfehlungen. In diesen Büros läuft alles in vertrauter Art und Weise ab: Mit Prospekten, Telefon, Fax, Computer und so weiter. Wo sich die Büros befinden, können Sie dem Stadtplan entnehmen.

Sama Tours

Tel.: 2233 543, Fax: 2233 020
mobil: 0811-60 85 76
E-Mail: samatours@zitec.org
Internet: www.samatours.com

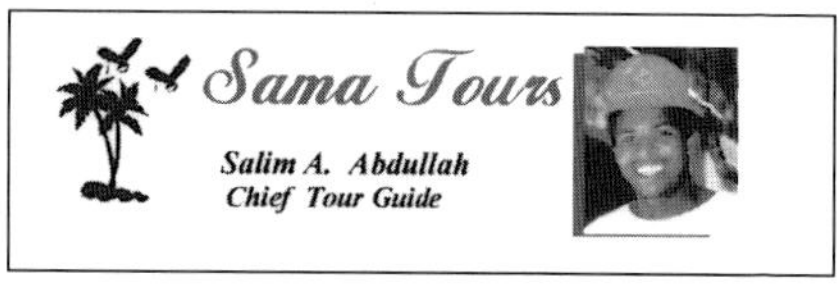

Die besten Erfahrungen haben wir mit Sama Tours gemacht, dessen Büro sich in der Gizenga Street, hinter dem House of Wonder befindet. Salim Abdullah, der Besitzer, aber auch seine Führer arbeiten sehr professionell, multilingual und äußerst kompetent. Unter dem breiten Angebot ist vor allem die Spice Tour eine „Spezialität des Hauses". Der Gang durch die Pflanzenwelt Sansibars wird mit Salim zur unterhaltsamen Nachhilfestunde: Pfeffer wächst nur mit Hilfe einer anderen Pflanze nach oben, Kakao schmeckt eigentlich bitter, die Erdnuss wächst erst nach oben und dann wieder nach unten, um die Erde mit neuem Samen zu befruchten und so weiter.

Salim hakt dabei nicht das übliche Programm ab, sondern versucht, abseits der großen Gewürzplantagen seinen Gästen die Gewürze Sansibars näher zu bringen. Seine Touren, die unter anderem auch in abgelegene Dörfer führen, sind sehr persönlich, denn sie werden nur in Kleingruppen bis zu 8 Personen durchgeführt. Deshalb hat man auch die Möglichkeit, seine individuellen Fragen und Wünsche zu äußern. Ganz im Gegensatz zu anderen bekannten Anbietern (Mr. Mitu können wir nicht empfehlen), die mit großen Reisebussen in den stattlichen Plantagen einfallen und jegliche touristische Individualität vermissen lassen.

Hier ein Auszug aus dem Programm:

Stone Town Tour, Dauer: ca. 3–4 Stunden
Diese Tour führt durch die Altstadt Stone Towns, wobei Salim sein breites Wissen über die bedeutendsten historischen Gebäuden und Plätzen in sympathischer Weise an seine Kunden weitergibt.

Spice Tour, Dauer: 5 Stunden
Bei dieser Tour geht es auf ins Herz von Sansibar. Dabei werden Sie den frischen Geschmack von Nelken, Kardamom, Zimt, Brotfrucht oder der Muskatnuss so schnell nicht mehr vergessen.

East Coast Tour, Dauer: ganztägig
Hier geht es auf die andere Seite der Insel, die im Programm eigentlich nicht fehlen darf. Auf Wunsch besteht dabei auch die Möglichkeit, auf dem Weg den bekannten Jozani Forest zu besuchen.

Madeira Tours (gegenüber des Baghani Hotels),
Tel./Fax: 2230 406, E-Mail: madeira@zanzinet.com

Zenith Tours (hinter dem Arabischen Fort),
Tel.: 2232 320, Fax: 2233 973, E-Mail: zenithznz@cats-net.com

Marlin Tours (Kenyatta Road/Nähe Shangani Hotel), Tel.: 0747-410 441

Eco+Culture (Hurumzi Street/gegenüber Emerson & Green Hotel), Tel./Fax: 2236808, E-Mail: eco+culture@zitec.org

Reisekasse

Insgesamt ist Sansibar nicht billig, auch wenn das im Widerspruch zu dem niedrigen Lohnniveau der Einheimischen steht. 100 Mark am Tag sind für Taxi, Essen gehen und Eintrittsgelder schnell weg. Auch Low Budget-Reisende, die sich mit dem Dalla-Dalla fortbewegen und meistens bei fliegenden Händlern essen, sollten mit mindestens 30 bis 40 Mark pro Tag rechnen.

Reiseveranstalter

Die Reiseveranstalter bieten neben Kombiprogrammen mit Tansania auch Sansibar separat an. Auf dem Programm stehen hauptsächlich die großen Ressorts an der Ostküste.

Anbieter zur Zeit unserer Recherche:

- Neckermann
- Dr. Tigges
- Studio Sus
- African Safari Club

Rollstuhlfahrer

Gerhard Eisenburger organisiert für „Rollis“ ein rollstuhlgerechtes und möglichst kostengünstiges Reiseprogramm. Er hat in Stone Town und an der Ostküste Quartiere gesucht, die grundsätzlich für Rollstuhlfahrer geeignet sind.
Zusätzlich steht geschultes Pflege- und Betreuungspersonal auf Stunden-, Halbtages- oder Ganztagesbasis zur Verfügung.
Kontaktadresse: Dr. Gerhard Eisenburger, Gusshausstrasse 14, 1040 Wien,
mobil: 0043 (0) 699-10 505 800

Sicherheit

Tagsüber kann man sich auf Sansibar ohne Probleme frei bewegen. Die Leute sind im allgemeinen sehr freundlich. Trotzdem sollte man besonders bei den herumlungernden „Beach Boys“ die Augen offen halten. Vor allem gegen Abend und bei Dunkelheit ist es besser, vorsichtig zu sein und keine Wertsachen bei sich zu tragen. Geld und Papiere gehören an der Hotelrezeption ins Safe. Allein reisende Frauen sollten sich für den Nachhauseweg am Abend besser ein Taxi bestellen und auf diskrete Kleidung achten. Wer sich allzu freizügig kleidet, wird nicht respektiert.
Achtung: Am Strand zwischen dem Serena Inn Hotel und dem Starehe Club treiben sich nicht nur abends und nachts oft zweifelhafte Gestalten rum, sondern auch tagsüber. Wer dort zum Schwimmen geht, was ohnehin nicht sehr attraktiv ist, sollte nichts unbeaufsichtigt am Strand liegen lassen.

Stromversorgung

Die Inseln Unguja und Pemba werden vom Festland aus mit Strom versorgt. Aber wenn die Rechnung mal nicht bezahlt wurde, hat ganz Sansibar auch mal ein paar Tage lang keine Elektrizität. Da ohnehin nur 50 Prozent der Bevölkerung damit versorgt sind, fällt das nicht weiter ins Gewicht. Alle Hotels, bis auf einige sehr einfache Unterkünfte, verfügen aber über einen Stromanschluss. Angepeilt wird eine Spannung von 220 Volt. Die Realität sieht anders aus. Sie schwankt zwischen 130 und 300 Volt, weshalb ältere elektronische Geräte gern schneller über den Jordan gehen. Auch Computer mögen diese Schwankungen nicht gerne. Die Steckdosen sind überwiegend afrikanische Dreifachstecker, die Sie mit einem Reiseweltstecker benutzen können.

Tauchen/Tauchschulen

Stone Town
The Zanzibar Dive Center, One Ocean Ltd.
Tel./Fax: 2238 374 oder 0742-750 161, E-Mail: oneocean@twiga.com,
Internet: www.zanzibaroneocean.com

Bahari Divers,Tel.: 0812-750 293, E-Mail: baharidivers@hotmail.com,
Internet: www.zanzibar-diving.com
Tauchsafari mit dem Katamaran „Inula"
Tel.: 0812-781 376 oder 0811-351 997, Fax: 2231 040, E-Mail: inula@inula.co.tz
Kontakt in Deutschland: Ute Martinkat, Wiechendorfer Weg 6, 30900 Wedemark
Tel./Fax: 05130-79 03 26

Nungwi
Dive Zanzibar Ltd., Tel.: 0747-410 535 oder 0811-326 574,
E-Mail: divezanzibar@yahoo.com , Internet: www.divezanzibar.com
East Afrikan Divers, Tel.: 0741-327 453, Fax: 0811- 327 747

Ostküste
Pongwe: ***Pongwe Beach & Dive Resort***
Pwani Mchangani: ***Blue Bay Beach Resort, Mapenzi Beach Village, Karibu Village***
Matembwe: ***Matembwe Beach Village, Matembwe Bungalows***
Kiwengwa: ***Kiwngwa Club Village***

Pemba
Chake Chake: ***Suaheli Divers***, Tel./Fax: 2452 786,
E-Mail: swahilidivers@intafrica.com, Internet: www.swahilidivers.com
Wete: ***Manta Reef Lodge***, Tel.: 2473 462 oder 0741-320 025,
E-Mail: mantareef@twiga.com

Tauchspots in der Gegend um Stone Town

Nicht nur die Reviere der Ostküste oder des Nordens sind interessant für Taucher, sondern auch die Gegend um Stone Town. Die Vorteile dieses Spots liegen darin, dass zum einen die Sichtweiten um einiges besser (perfekt für Fotografen) sind als an der Ostküste, zum anderen profitieren hier vor allem Anfänger, denn die Strömungen sind gering, was das Erlernen dieser Sportart erleichtert. Auch wer sich mehr für die Korallenvielfalt als für Fische interessiert, kommt hier eher auf seine Kosten.

Ostküste

Blau in unendlichen Variationen: türkis, himmelblau, tiefdunkel, fast schon schwarz oder einfach nur azur. Diese Farben begegnen einem nicht nur beim Tauchen, sondern auch beim Schnorcheln. Die Gewässer an der Ostküste sind dafür berühmt sehr fischreich zu sein. Vor allem um das Mnemba Atoll kommen Tauchbegeisterte auf ihre Kosten. Im Vergleich zur Westküste sind die Korallen aber leider nicht mehr so sehenswert. Für Taucheinsteiger bleibt die zum Teil stärkere Strömung zu bedenken. Problematisch: Wenig kompetente, unabhängige Tauchschulen außer in den großen Hotels (empfehlenswert: Pongwe Resort & Dive Center, Pongwe).

Nungwi

Vom Tauchrevier ist der Norden bei Nungwi ähnlich wie die Ostküste. Der Vorteil: Die breitere Auswahl an Tauchschulen. Außerdem ist Mnemba Island von hier aus günstiger anzufahren. Das Atoll ist besonders bekannt für exzellente Tieftauchgänge entlang gigantischer Wände. Weiteres Tauchhighlight: Leven Bank im Pemba Channel.

Pemba

Für Kenner das Tauch-Mekka schlechthin. Unberührt und exotisch. Ein genialer Spaziergang im Unterwassergarten erwartet den Tauchbegeisterten, wenn er sich für dieses wenig bekannte Revier entscheidet. An der Küste Pembas und um die vorgelagerten Inseln begegnet Ihnen kein unkontrollierter Tauchtourismus, denn glücklicherweise sind die Bewohner der Korallenriffe noch nicht den mächtigen Anstürmen korallenzerstörender Tauchfanatiker zum Opfer gefallen. Zwischen Pemba und der Hauptinsel Sansibar erstreckt sich der über 700 Meter tiefe „Pemba Channel", der nicht nur für erfahrene Taucher, sondern auch besonders für Hochseefischer ein „Leckerbissen" ist.

Telefonieren

Seit Mitte 2000 haben sich einige Telefonnummern in und um Sansibar geändert. Den Grund weiß niemand wirklich genau. Reine Verwirrung.
Vorwahl Sansibar u. Pemba: .... (0) 24 (früher 054)
Vorwahl Dar es Salaam: .... (0) 22 (früher 055)
Die Vorwahlnummern für das restliche Festland erfahren Sie bei der Post.

Landesvorwahl Tansania/Sansibar: 00255
Landesvorwahl Kenia: 00254
Landesvorwahl Deutschland: 0049
Landesvorwahl Schweiz: 0041
Landesvorwahl Österreich: 0043

Zudem wurden auch die Teilnehmernummern geändert. Falls Sie eine ältere Telefonnummer in die Hände bekommen und diese nicht funktioniert, sollten Sie wissen, dass der alten Nummer eine zusätzliche 2 vorangestellt wurde (Beispiel: Frühere Nummer 234 578, neu: 2234 5789).

Achtung: Alle im Reiseführer angegebenen Nummern sind nur die des einzelnen Teilnehmers. Falls Sie von außerhalb Sansibars anrufen, immer die entsprechende Vorwahl bzw. den Landescode hinzufügen.

Telefonkosten nach Deutschland: Tsh 2800 pro Minute (bei der Post). Bei privaten Unternehmen in der Altstadt ist es unter Umständen billiger!

Mobiltelefone

Auf Sansibar gibt es drei verschiedene Anbieter für Mobilfunk. Wenn Sie mit ihrem eignen Handy auch von Sansibar aus telefonieren möchten, verfahren Sie am besten folgendermaßen: Wenden Sie sich zunächst an die verschiedenen Gesellschaften und überprüfen Sie die Angebote. Bei Anmeldung erhalten Sie zunächst eine Karte, die allerdings nur mit freigeschalteten Geräten funktioniert. Mit „simlock-Handys" oder Geräten, die kein Dualband haben, gibt es Schwierigkeiten. Bei Anmeldung bekommen Sie eine eigene Nummer.

Zantel (siehe Stadtplan): Kosten: US$ 30 für eine 3-monatige Verbindung (mit US$ 5 Gesprächsguthaben) + gewünschtem Betrag zum Abtelefonieren. Das Unternehmen bietet neben der Karte auch „Rent a Zan" an. Das heißt, Sie können sich ein Handy mieten: US$ 5 pro Tag.

Tritel: Manchmal bietet diese Gesellschaft spezielle Tarife für Touristen an. Erkundigen Sie sich direkt im Geschäftsbüro über die momentanen Angebote.

Mobitel: Keine günstigen Angebote für Touristen.

Telefonkosten nach Deutschland (zur Zeit unserer Recherche): ca. US$ 2.50–4, je nach Anbieter und Tageszeit.

Trampen

Trampen funktioniert gut auf Sansibar. Jedoch reagiert keiner auf den uns bekannten Daumen, sondern auf das „mach langsam"- Zeichen, d.h. Handfläche nach unten und winken. Dann halten nicht nur Privatautos, sondern auch die Dalla-Dallas.

Trinkgeld

Es gibt keine einheitliche Trinkgeldregelung. Da das Servicepersonal in der Regel wenig verdient, sollten Sie ca. 10 Prozent aufschlagen.

Trinkwasser

Leitungswasser sollten Europäer auf keinen Fall trinken, sonst gibt es unter Umständen massive Magenprobleme. Trinkwasser nur in Flaschen kaufen und mit Eiswürfeln vorsichtig sein, bzw. auch diese ganz vermeiden.

Unterkunft

Es gibt inzwischen auf der Hauptinsel Sansibars alle Kategorien von Unterkünften. Vom noblen Urlaubsressort bis zur einfachen Traveller-Unterkunft. Eine große Auswahl an Unterkünften finden Sie in den Kapiteln der jeweiligen Ortschaften inklusive Preise und Kontaktnummern. Auf Pemba sieht dies allerdings anders aus. Hotels von europäischem Standard gibt es im Moment nur zwei. Der Rest sind Low Budget-Unterkünfte.

Zeitunterschied

Mitteleuropäische Zeit (MEZ) plus 2 Stunden, während der Sommerzeit plus eine Stunde Zeitverschiebung.
Auf Sansibar geht das Geschäftsleben nach europäischen Uhren, aber das Privatleben nach der arabischen. 19 Uhr abends bedeutet 13 Uhr arabische Zeit, und 10 Uhr morgens 4 Uhr arabische Zeit. Um die Zeit umzurechnen, zieht man 6 ab, wenn es möglich ist, wenn nicht, muss man 6 draufrechnen. Das ist ein bisschen verwirrend für Europäer, und man sollte besser noch einmal nachfragen, wenn man mit Einheimischen Verabredungen trifft.

Zollbestimmungen

Zollfrei eingeführt werden dürfen 200 Zigaretten oder 50 Zigarren oder 225 Gramm Tabak sowie 1 Liter Spirituosen.

Stone Town

Stone Town ist das Herz von Sansibar. Es ist die Bezeichnung für das historische Zentrum von Sansibar-Town und gleichzeitig ein Synonym für die Hauptstadt der Insel. Die Gassen gleichen einem Labyrinth, so dass man sich schon kurz nach dem Verlassen seines Hotels unwiderruflich verirrt. Zweifelsohne hat die steinerne Stadt mit den 180.000 Einwohnern schon bessere Tage gesehen. Die arabischen Paläste mit den kunstvoll geschnitzten Holztüren und Veranden verfallen, und ihre Bewohner schmeißen den Müll unachtsam direkt vor ihre Tür. Der feucht-süße Geruch von Gewürznelken, Pfeffer, Vanille, Zimt und Kardamom vermischt sich mit dem von faulen Ananas und überreifen Papayas.
Überall sitzen Männer und trinken Kaffee, Kinder spielen kreischend in den Pfützen des letzten Regengusses und verschleierte Frauen huschen ungesehen hinein in den Irrgarten der Gassen. „Karibu Sansibar", willkommen in Sansibar, tönt es aus dem Dunkel. Denn die Sonne malt Farbspiele aus gleißendem Licht und pechschwarzem Schatten in die handtuchschmalen Wege. Auf dem Darajani-Markt an der Creek Road kann man, inmitten von afrikanischem, lärmenden Chaos, Waschpulver, Kakao und Drahtesel kaufen. Letzteres ist das wichtigste Transportmittel in Stone Town. Männer radeln und Frauen sitzen elegant im Damensitz auf dem Gepäcktrager. Die Gassen sind nämlich so eng, dass man mit vier Rädern nicht weit käme. Und die Gefahr der Kollision ist groß. Vorfahrt hat, wer lauter klingelt, hupt oder brüllt. Auch die Moscheen sind nicht zu überhören, denn schon im Morgengrauen ruft der Muezzin das erste Mal zum Gebet. Dazwischen mischen sich die Schellen vom hinduistischen Tempel und die Glocken der wenigen christlichen Kirchen.

Zweifelsohne zählt Stone Town zu den beeindruckendsten und besterhaltenen urbanen Sehenswürdigkeiten in Ostafrika. Doch diese steht kurz vor dem Verfall. Als die Paläste der reichen Araber und Inder nach der Revolution 1964 beschlagnahmt wurden, zogen die Enkel der Sklaven in die Prachtbauten der Sklavenhändler ein. Diese

Seefront von Stone Town mit dem House of Wonders (rechts)

lebten weiter, wie sie es gewohnt waren, kochten auf offenem Feuer und hielten Hühner und Schweine in der Wohnung. Falls es gerade mal kein Brennholz gab, wurde kurzerhand eine edel geschnitzte Tür verfeuert. Luftschächte und Innenhöfe wurden zugemauert und langsam verwandelten sich die Prachtbauten von Stone Town in morsche Treibhäuser.

Während der sozialistischen Ära und der bewussten Abkehr vom Feudalismus konnte man zudem wenig Verständnis für die Erhaltung der Häuser der früheren Elite aufbringen. Vielmehr wollte man eine sozialistische Musterstadt errichten. Übrig geblieben sind aus dieser Zeit noch die so genannten „Michenzani Flats", die den DDR-Plattenbaustil von seiner scheußlichsten Seite zeigen. Dieser Stadtteil wird „Ng'ombe" genannt. Neben dem sozialistischen Markenzeichen reihen sich dort wellblechbedeckte Häuser an der Ausfahrtstraße von Stone Town zwischen Bushaltestellen und Marktständen, die alles nur erdenkliche feilbieten. Früher war dieser Teil der Stadt durch einen Wasserarm („creek") von der anderen Seite getrennt. Dieser wurde in den 50er Jahren mit Sand aufgeschüttet. Heute ist die Creek Road die Trennlinie zwischen der alten und der neuen Stadt. Nach und nach führte das Nachlassen des ideologischen Eifers und der beginnende Tourismus zu einer langsamen Umwertung des kulturellen Erbes. 1988 wurde Stone Town von der UNESCO zum „Weltkulturerbe" erklärt, doch es mangelt an Kapital und an politischem Willen, die Pläne konsequent umzusetzen. 1992 wurde eine internationale Konferenz einberufen. Historiker und Stadtplaner aus aller Welt befassten sich mit der Frage, wie man die „steinerne Stadt" retten könnte. Die Kulturstiftung des Aga Khan gab eine Studie in Auftrag, die die architektonischen Besonderheiten, Besitzverhältnisse und Nutzungsart erfasst. Allein, es mangelt an der Umsetzung der Ergebnisse. Das Sanierungskonzept ist nicht wirklich aufgegangen. Ganz langsam putzt sich Stone Town heraus und die ärmeren Be-

In ein Dalla-Dalla passen mindestens 20 Leute und 10 Hühner und ein halbes Schwein

wohner werden wieder zurückgedrängt: Aufs Land in die Lehmhütten. Es ist eine Frage der Zeit, ob die steinerne Stadt in Kürze in sich zusammenfällt oder vielleicht doch gerettet wird. Sicherer ist es aber, Sie fahren schnell hin. Es könnte bald zu spät sein.

Wie kommt man rum

Taxi

Das Taxi ist zwar relativ teuer, aber mit ihm kommt man am bequemsten von Ort zu Ort. Wichtig sind die Preisverhandlungen. Also, nicht gleich den ersten Preis des Fahrers akzeptieren.

Minibus

Die praktikabelste und relativ kostengünstige Variante, sich von Stone Town ins Landesinnere oder an die anderen Küsten aufzumachen, ist das Sammeltaxi. Der Minibaus startet meist morgens zwischen 8 und 9 Uhr und holt seine Passagiere direkt an den Hotels

Jambo Jambo

Spätestens wenn man einen Minibus an die Ostküste sucht, trifft man unweigerlich in Stone Town auf eine besondere Spezies: Die Beach- Boys oder auch „Papassi“ genannt. Übersetzt bedeutet das treffend “Stechfliege“. Meistens werden Sie aus jeder Ecke mit „Jambo“ gegrüßt. In dem Moment, wo Sie nicht korrekt mit „Sijambo“ antworten, sondern ebenfalls mit „Jambo“, sind Sie als Tourist geoutet und geliefert, denn nun geht's los: „Hello Sista, wanna go Easti-Coasti tomorrow? Hakuna matata (kein Problem). How long you stay in Sansibar? Maybe you want swim with dolphins? Make you very special prize“.

Bei jedem Deal mit einem Beach-Boy werden Sie den Kürzeren ziehen. Das ist nicht böse gemeint, es liegt nur leider in der Natur der Sache. Beach-Boys bringen Sie immer nur dorthin, wo sie selbst Prozente kassieren, nicht etwa dahin, wo es am besten oder am billigsten ist. Egal ob im Hotel oder bei einem organisierten Ausflug. Zusätzlich werden Sie den Rest Ihrer Zeit damit verbringen, über nicht erbrachte Leistung zu diskutieren. Insbesondere, wenn Sie die Blauäugigkeit besessen haben, im Voraus zu bezahlen. Was Ihnen nun aber sicher nicht mehr passieren wird.

Taxipreise

Innerhalb der Stadt/tagsüber: .	ca. Ths 1000
Innerhalb der Stadt/nachts: ...	ca. Ths 2000 Flughafen: ca. Ths 3000
....	tagsüber, Ths 4000 nachts,
....	Fahrtdauer: ca. 1 Stunde
Bububu:	Ths 1000–2000, Fahrtdauer: ca. 10 Minuten
Jambiani/Bwejuu/Paje:	Ths 15.000–20.000, Fahrtdauer: ca. 1 Stunde
Nungwi:	ca. Tsh 20.000, Fahrtdauer: ca. 1 Stunde
Kizimkazi:	ca. Ths 30.000, Fahrtdauer: ca. 1,5 Stunden
Jozani:	ca. Tsh 10.000, Fahrtdauer: ca. 45 Minuten
Kiwengwa:	ca. Tsh 30.000, Fahrtdauer: ca. 1,5 Stunden
Unguju Ukuu:	ca. Tsh 25.000, Fahrtdauer: ca. 1,5 Stunden

ab. Auch am Zielort werden diverse Hotels angefahren, die man sich zunächst anschauen kann, bevor man bleibt. Anzumerken bleibt, dass auch hier die unbeliebten „Papassi" mitreisen. Das heißt, sie fahren auch hier nur diejenigen Unterkünfte an, bei denen sie Kommission bekommen – und das sind nicht immer die hübschesten Plätze. Preis für die Fahrt an die Ostküste bzw. nach Nungwi Ths 3000–4000. Fahrtdauer: 1–1,5 Stunden.

Dalla-Dalla

Von/Zum Flughafen
Linie U ab Krankenhaus
Preis: ca. Ths 200
Fahrtdauer: ca. 30 Minuten

Von/Nach Bububu
Linie B ab Busstation an der Creek Road
Preis: ca. Ths 200
Fahrtdauer: 20 Minuten

Von/Nach Jambiani/Paje/Bwejuu
Die einfache Variante:
Ab Dalla-Dalla-Station an der Creek Rd. mit der Linie 9 (Ths 500–700). Achtung: Nicht jede Nr. 9 fährt bis nach Jambiani. Manche fahren in Paje weiter nördlich Richtung Bwejuu.
Wer dort nicht warten will, muss mit der M-Linie nach Magomeni und am Kreisel, gegenüber den Tankstellen „unterm großen Baum“ warten, bis die Linie 9 vorbeikommt.
Fahrtdauer: 2–3 Stunden
Letzte Fahrt: 15.30 Uhr.

Von/Nach Makunduchi via Kizimkazi
Linie 10 ab Dalla-Dalla-Station an der Creek Road
Preis: Ths 1000 bzw. Ths 1500
Fahrtdauer: ca. 2,5 bis 3 Stunden

Von/Nach Jozani
Preis: Ths 500
Fahrtdauer: ca. 2 Stunden

Von/Nach Chwaka/Uruoa/Pongwe
Linie 6 ab Krankenhaus
Preis: Ths 500
Fahrtdauer: ca. 2,5 Stunden

Von/Nach Matemwe via Pwani Mchangani
Linie 1 ab Dalla-Dalla-Station an der Creek Road
Preis: Ths 500–700
Fahrtdauer: ca. 2,5 Stunden

Von/Nach Nungwi
Linie 16 ab Dalla-Dalla-Station an der Creek Road
Preis: Ths 700
Fahrtdauer: ca. 2,5 Stunden

Von/Nach Unguju Ukuu
Linie 8 ab Dalla-Dalla-Station an der Creek Road
Preis: Ths 500
Fahrtdauer: ca. 2 Stunden

Von/Nach Kiwengwa
Linie 17 ab Busstation an der Creek Road
Preis: Ths 700
Fahrtdauer: ca. 2 Stunden

Die Gizenga Street in Stone Town direkt hinter dem House of Wonders

Unterkunft

– Low budget

Karibu Inn
Tel./Fax: 2233 058
Unser Low Budget-Tipp! Diese Traveller-Unterkunft bietet erstaunlich viel für seinen Preis: Saubere Betten, sehr freundliches Personal, sehr gute Lage im Stadtzentrum (aber trotzdem relativ ruhig), alle möglichen Versionen von Zimmern (Single, Doppel, Triple und Schlafsäle für Gruppen) und was wirklich erstaunlich ist, auf Wunsch warmes Wasser im Bad. Doppel: US$ 25 (Gemeinschaftsbad), US$ 30 (privates Bad); Single: US$ 15 (Gemeinschaftsbad), US$ 20 (privates Bad); alles inklusive Frühstück. Schlafsaal: US$ 10 pro Person, inklusive Frühstück.

Flamingo Guesthouse
Tel.: 2232 850, Fax: 2233 144
In seiner Klasse ziemlich weit vorne liegt diese Budget-Unterkunft. Hier machen vor allem junge Leute mit schmalem Portemonnaie Station, denn eine Übernachtung bekommt man hier zum günstigsten Preis, den wir in Stone Town gefunden haben! Die Matratzen haben zwar schon einmal bessere Zeiten gesehen, aber dieses Manko ist in dieser Kategorie schon fast obligatorisch. Trotz allem: Die Zimmer sind einfach, aber sauber, die Bettwäsche wird regelmäßig gewechselt und das Personal ist freundlich und hilfsbereit. Was will man mehr. Übrigens: Verhandeln lohnt sich! US$ 10 pro Person mit privatem Bad, US$ 8 mit Gemeinschaftsbad; inkl. Frühstück.

Garden Lodge
Tel.: 2233 298
Nur mit gutem Willen kann diese einfache Unterkunft zurecht diesen Namen tragen. Der Garten ist zwar vorhanden, aber einen Park darf man nicht erwarten. Vor dem Haus befindet sich ein kleiner, gartenähnlicher Hof, der vor allem als Frühstücksrestaurant genutzt wird. Das von außen ganz hübsche Haus wurde zur Zeit unserer Recherche renoviert. Deswegen bleibt zu hoffen, dass die bis dato bedenklichen Bäder ebenfalls überholt wurden. Doppel: US$ 20, Single: US$ 10; inklusive Frühstück.

Clove Hotel
Tel.: 2236 724, Fax: 2238 801
Keine schlechte Wahl für den schmalen Geldbeutel ist diese Unterkunft. Die Zimmer sind ganz hübsch und sauber und auch die Lage in der Nähe des House of Wonders ist prima. Gutes Preis-Leistungsverhältnis.
Doppel: US$ 25, Single: US$ 15; inklusive Frühstück.

Santa Monica's Hostal
Tel.: 2230 773
Dieses Guesthouse gehört der „Cathedral Church of Christ" und wurde auf dem Gebiet des früheren Sklavenmarktes erbaut. Nebenan befindet sich gleich die anglikanische Kathedrale, dessen Besuch sich im Gegensatz zum Guesthouse um einiges mehr lohnt. Die Zimmer sind in einem recht lieblosen Zustand, in denen man sich nicht wirklich wohl fühlen kann.
US$ 12 pro Person mit Gemeinschaftsbad, US$ 15 mit privatem Bad; inklusive Frühstück.

Malindi Annex Guesthouse
Tel.: 2232 359
Nicht zu verwechseln mit der Malindi Lodge, die in der Kategorie „Augen zu und durch" gelandet ist, ist das Annex um einiges besser, obwohl nicht teurer. Die Zimmer sind ganz einfach, aber sauber, und auf dem Dach gibt es eine gemütliche Frühstücksterrasse, die man gut zum Ausspannen nutzen kann.
Doppel: US$ 20, Single: US$ 15 (mit Gemeinschaftsbad); inklusive Frühstück.

– Kategorie „Augen zu und durch"

Annex Kids Play Hotel,
Tel./Fax: 2230 475,
US$ 15 pro Person

Malindi Lodge,
Tel.: 2232 359, US$ 10 pro Person

Mzuri Guesthouse,
Tel./Fax: 2230 460

New Happy Lodge,
Tel.: 2231 545. Zwielichtiges Publikum! US$ 10 pro Person

Bububu Guesthouse (Bububu),
Tel.: 2231 110, US$ 10 pro Person

– Mittelklasse

Hotel Kiponda

Tel.: 2233 052, Fax: 2233 022

Unser Mittelklasse-Tipp! Nicht nur, dass es prima gelegen ist im Herzen der Altstadt, es ist auch, was das Preis-Leistungsverhältnis angeht, eine hervorragende Wahl. Die Zimmer sind ruhig und blitzsauber, der Service an der Rezeption ist professionell und die Atmosphäre im „Rooftop-Restaurant" sehr entspannend. Dort gibt es morgens sogar ein kleines Frühstücksbuffet. Doppel: US$ 35 mit Gemeinschaftsbad, US$ 45 mit privatem Bad; Single: US$ 25 mit Gemeinschaftsbad, US$ 35 mit privatem Bad; inklusive Frühstück.

Heart of Zanzibar

Tel./Fax: 2231 264, mobil: 0741-605 298

Für uns ein weiterer Favorit ist diese Unterkunft im Herzen von Stone Town (wie der Name schon sagt). Neben dem prima Restaurant und einem super gemütlichen Café gibt es auch eine wunderbare Möglichkeit zum Übernachten. Verantwortlich für das perfekte Styling der drei Zimmer ist die Besitzerin Brigitte Morgan. Sie

Freddy Mercury

Freddy Mercury war der Lead-Sänger der legendären Rockgruppe „Queen". Aber sein richtiger Name war Farouk Bulsara. Und er kam ursprünglich nicht aus England, wo er seine Internatszeit verbracht hat, sondern aus Sansibar. Dort wurde er am 5.9.1946 als Sohn von persisch-indisch-stämmigen Eltern geboren. Er lebte in Stone Town mit seiner Familie, bis er 8 Jahre alt war. Sein Vater war ein Angestellter des Britischen Konsulats in Stone Town. Viele Einwohner heutzutage werben mit der Behauptung „Freddy lived in my house". Aber weil er mit seiner Familie sehr oft innerhalb Stone Towns umgezogen ist, weiß keiner mehr so genau, wo er wirklich gelebt hat. Als auf Sansibar 1964 immer mehr politische Unruhen aufkamen, entschied sich die Familie Bulsara, nach England zu emigrieren. Erst nach seinem Tod wurde bekannt, dass Freddy Mercury in Sansibar geboren ist und dort seine Jugend verbracht hatte. Einige seiner Titel enthalten arabische Elemente, wie z.B. „Bismilah". Man spricht diesen Segen als Dank vor dem Essen. Die arabische Variante für die Tischgebete der christlichen Welt.

hat ihre Räume mit liebevollen Details und traditionellen Sansibari-Möbeln ausgestattet, ohne dabei den nötigen Komfort zu vergessen. Für uns umstritten eine der besten Unterkünfte dieser Preisklasse! Doppel: US$ 50, Single: US$ 35, Suite (für 3 Personen) US$ 90–100; inklusive Frühstück.

Africa House Hotel

Zur Zeit unserer Recherche wurde der Kultbau gerade umgebaut. Geplant ist eine modere, großzügige Unterkunft. Die Preise und Kontaktadressen waren bis dahin noch nicht bekannt. In Traveller-Kreisen rege besucht ist, wie schon seit langem, das Café mit der herrlichen Terrasse (siehe auch Cafés).

Spice Inn

Tel.: 0747-410 874

Von außen betrachtet, ist dieses alte Sansibari-Gebäude genial. Auch in seinem Inneren spürt man noch den Flair arabischer und indischer Zeiten. Leider sind die Zimmer in einem desolaten Zustand, so dass man sich das Hotel zwar mal anschauen sollte,

Früher ein Zeichen des Schreckens heute eher eine Zeitreise: Die trapezförmigen Dhausegel wurden von Seeräubern und Sklavenhändlern benutzt

aber für eine Übernachtung ist es für den Preis nicht zu empfehlen. Kultig dagegen das kleine Café im Erdgeschoss. Doppel: US$ 35–40, Single US$ 25–30; inkl. Frühstück.

Coco de Mer

Tel./Fax: 2230 852, E-Mail: wild-footprints@africaonline.co.tz

Wer eine gemütliche und zentrale Unterkunft sucht, liegt hier richtig. Es gibt einen hübschen Innenhof, eine Terrasse zum Entspannen und die Zimmer sind ebenfalls im „grünen Bereich". Sie sind fast alle mit privatem Bad (warmes Wasser) ausgestattet. Doppel: US$ 45, Single: US$ 30; inklusive Frühstück.

Hotel International

Tel: 2233 182, Fax: 2230 052

Genau wie das Spice Inn ein tolles Gebäude, aber leider ebenfalls schon auf dem absteigenden Ast. Eine Renovierung tut hier Not. Die Zimmer sind alle gemäß einem höheren Standard ausgestattet, das heißt mit Kühlschrank, Aircondition, warmem Wasser, Balkon und TV. Gemütlich fanden wir es trotzdem nicht. Für den Preis findet sich in der Stadt weitaus besseres. Prima ist die Aussicht vom Dach! Doppel: US$ 60, Single: US$ 45; inklusive Frühstück.

Shangani Hotel

Tel.: 2233 524, Fax: 2233 688

Gegenüber der Post finden Sie dieses typische Mittelklassehotel. Die 27 Zimmer sind fast alle mit privatem Bad (heißes Wasser), TV, Kühlschrank und Aircondition ausgestattet. Alles ist hier im „grünen Bereich", aber etwas Besonderes (wie in vielen anderen Hotels der Stadt) konnten wir nicht finden. Unser Tipp: Versuchen Sie, ein Zimmer zur Straße hin zu bekommen! Doppel/Single: US$ 50–65; inklusive Frühstück.

Baghani House Hotel

Tel.: 2235 654, Fax: 2233 030, E-Mail: baghani@zanzinet.com

Was dieses Haus bemerkenswert macht, ist der sansibarische Flair, der hier überall zu finden ist. Rosenduft-Räucherstäbchen verbreiten einen typischen arabischen Geruch in den Gemächern, und wer sich ausruhen will, lässt sich auf orientalischen

Teppichen und Kissen nieder. Wer die typische unpersönliche Hotelatmosphäre satt hat und auch nicht allzu viel Geld ausgeben möchte, liegt bei dieser ruhigen Unterkunft richtig. Doppel: US$ 50–70, Single: US$ 40–50; inklusive Frühstück.

Hotel Marine
Tel.: 2232 088, Fax: 2233 082
Man gibt sich hier alle Mühe, europäischem Standard gerecht zu werden, aber so recht gelingen will es nicht. Von außen sieht dieses Hotel zwar sehr adrett aus, aber das Innenleben lässt für den Preis einfach zu wünschen übrig. Die Zimmer sind dunkel, klein und zum Teil auch sehr laut. Da hilft auch die Aircondition nichts mehr. Doppel: US$ 55–70, Single: US$ 50–65; inklusive Frühstück.

– High Class

Emerson and Green
Tel.: 2230 171, Fax: 2231 038,
E-Mail:emegre@zansibar.org
Unser High Class-Tipp: Für die Sunday Times zählt dieses Hotel im Herzen von Stone Town zu den besten der Welt. Und auch wir können bestätigen, dass hier eine wirklich exeptionelle Atmosphäre herrscht. Die Zimmer sind alle unterschiedlich gestaltet und mit antiken Sansibari-Möbeln eingerichtet: Sanibari-Truhen, traditionell geschnitzte Türen, persische Bäder – alles nur vom Feinsten. Oben auf dem Dach werden Sie von einem Highlight verwöhnt: Das „Tower Top-Restaurant“ ist zweifelsohne ein Muss für jeden Sansibar-Besucher. Wer heutzutage noch einen Hauch von vergangenen orientalischen Zeiten spüren möchte, sollte unter keinen Umständen den kühlen Drink zum Sonnenuntergang verpassen. Doppel: US$ 150 pro Person, Single: + US$ 30; inklusive Frühstück.

Serena Inn
Tel: 2233 587, Fax: 2231 015,
E-Mail: zserena@zanzinet.com
Eines der exklusiven Hotels der bekannten Kette des Multis Aga Khan ist seit 1997 auch auf Sansibar zu finden. Wer in Stone Town luxuriös logieren möchte, kann sich im schicken Serena Inn einmieten. Zwei historische Gebäude Stone Towns wurden

unter immensen Kosten zu dieser sehr geschmackvollen Herberge umgebaut. Und die Zimmer verfügen über jeglichen Komfort, den man sich vorstellen kann. Der Service ist selbstverständlich perfekt und professionell. Doppel: US$ 165–190, Single: US$ 110–135; inklusive Frühstück.

Tembo House Hotel

Tel.: 2233 005, Fax: 2233 777,
E-Mail: tembo@africaonline.co.tz
Nur eine Nummer kleiner als das Serena ist das Tembo, das annähend dieselbe hervorragende Lage hat. Die Gestaltungslinie der Zimmer ist historisch und modern gemixt, aber die Ausstattung entspricht selbstverständlich einem gehobenen Niveau. So erscheint uns der höhere Preis angemessen. Doppel: US$ 90–100; Single: US$ 80; inklusive Frühstück.

Dhow Palace

Tel.: 2233 012, Fax: 2233 008,
E-Mail: dhowpalace@africaonline.co.tz
So sieht ein High Class-Hotel aus, und das zu fast Mittelklassepreisen. Dieses hübsche und vor allem ruhige Hotel im Stadtteil Baghani war in früheren Zeiten im Besitz einer reichen arabischen Familie. Vor allen Liebhaber antiker Möbelstücke kommen hier auf ihre Kosten, und obwohl das Gebäude jetzt als Hotel für westliche Touristen genutzt wird, kann man in den Zimmern und in den Gängen noch deutlich den Flair arabischer Zeiten spüren. Doppel: 70–85 US$ / Single: 55 US$ / inklusive Frühstück

Mazons Hotel

Tel.: 2233 649, Fax: 2233 062,
E-Mail: mazons@zansinet.com
Hinter der historischen Fassade verbirgt sich eine modernen Unterkunft, deren Preis an die Leistungen angepasst ist. Pluspunkte erhält das Masons durch seine Lage und die geschmackvoll eingerichteten Zimmer. Sie verfügen über TV, Kühlschrank, Aircondition und privates Bad (heißes Wasser). Doppel: US$ 60–100, Single: US$ 48–60; inklusive Frühstück.

Chavda Hotel

Tel.:2232 115, Fax: 2231 931
Sehr hübsch ist dieses ruhig gelegene Hotel im Stadtteil Baghani. Die 32 Zimmer sind alle sehr sauber und in arabischen Stil eingerichtet. Alle Bäder verfügen über heißes Wasser. Besonders erwähnenswert ist das „Rooftop-Café“ mit einer überragen-

Die glücklichen Gewinner des Sklavenhandels lebten in Palästen mit kunstvoll geschnitzten Möbeln und persischen Bädern. Heute sind das Touristenunterkünfte. Hier das blaue Zimmer im Shangani House

den Aussicht. Trotzdem: Im Vergleich zu den anderen High Class-Hotels ist der Preis zu hoch. Doppel: US$ 80–100, Single: US$ 70; inklusive Frühstück.

– Private Unterkünfte und Apartments

Shangani House

Tel.: 0742-750 557 (nach Nicole fragen!) oder 2230 171, Fax: 2231 038, E-Mail: emegre@zansibar.org

Nicht zu verwechseln mit den Shangani Hotel! Denn der entscheidende Unterschied liegt in der Qualität und in der Exklusivität des Wohnens. Hier logiert man in einem wunderbaren, renovierten alten Stadthaus, das zentral, aber dennoch sehr ruhig gelegen ist. Die 4 Zimmer sind genial eingerichtet: Man schläft in riesigen Sansibari-Betten, die Türen der Räume sind traditionell geschnitzt und im ganzen Haus liegt ein Hauch von arabischer Atmosphäre in der Luft. Versuchen Sie, das „blaue Zimmer“ zu buchen!

Doppel/Single: US$ 70–80; inklusive Frühstück.

Beit al Amaan

Tel: 0747-411 362,
E-Mail: zibar@zanzinet.com

Die guten alten „arabischen“ Zeiten lassen grüßen: Dieses Haus, das übersetzt so viel heißt wie „Haus des Friedens“, ist ein weiterer Mega-Tipp für Stone Town. Zur Verfügung stehen 3 separate Zimmer, eine Küche und ein riesiger Wohnraum, der auch als Schlafzimmer genutzt werden kann. Insgesamt können bis zu 14 Personen untergebracht werden. Das Mobiliar ist durch und durch sansibarisch, d.h. landestypische, großflächige Betten, hohe Fenster, klassische Sansibari-Böden – ein Ort, an dem man sich rundum wohl fühlen kann. Übrigens die Zimmer können auch einzeln gemietet werden. Doppel: US$ 50, 6 Personen US$ 150, bei Belegung ab 7 Personen US$ 150 + US$ 30 pro Person.

Bei „Inka“

Inka, die deutsche Besitzerin der Bahari Tauchschule, vermietet Privatzimmer zu einem unschlagbaren Preis. Der einzige Nachteil: Ihr Haus befindet sich ein paar Kilometer außerhalb von Stone Town, aber mit dem regelmäßig verkehrenden Dalla-Dalla (U-Linie) ist der Transfer zur Stadt kein Problem. US$ 5 pro Person.

– Unterkünfte in der Umgebung von Stone Town

Mtoni Beach Resort
Tel./Fax: 2250 140,
mobil: 0741-321 381,
E-Mail: mmc@twiga.com
Das Plus dieser Unterkunft ist ihre ruhige, aber dennoch stadtnahe Lage (bis Stone Town 15 km). Inmitten es großflächigen Gebietes liegen direkt am Strand einige kleine Bungalows, aber auch ein neu erbautes Hauptgebäude mit komfortablen Zimmern. Das beste dieser Anlage ist das hübsche Open Air-Restaurant direkt am Strand. Bungalows: Doppel: US$ 50–80, Single: US$ 35–60; inklusive Frühstück. Palm Garden House (Haupthaus): Doppel: US$ 100, Single: US$ 80; inklusive Frühstück.

Mbweni Ruins Hotel
Tel.: 2234 478, Fax: 2230 536,
E-Mail: hotel@mbweni.com
Dieses Hotel gehobenen Standards liegt auf dem ehemaligen Gebiet der ersten anglikanischen Mission in Ostafrika ca. 10 km von Stone Town entfernt. Heutzutage sind im tropischen Garten dieser Herberge leider nur noch die Ruinen dieser Mission zu finden. Der Strand liegt direkt vor der Haustür und auch der Süßwasser-Pool fehlt nicht. Außerdem kann man sich im „Natural Health Center“ verwöhnen lassen. Die Zimmer sind entsprechend des Standard komfortabel ausgestattet.
Preise auf Anfrage

The Fischerman´s Resort
Tel: 2230 208, Fax:2230 556,
E-Mail: fishermans@zanzinet.com
Ca. 10 Autominuten von der Stadt entfernt in Richtung Flughafen befindet sich diese komfortable Ferienanlage. Vorort erwartet Sie ein herrlicher Süßwasser-Pool inmitten eines luxuriösen Gartens. Außerdem werden Sie mit diversem Sportangebot (Tennis, Segeln, Windsurfen, Tauchen) und einer breit gefächerten kulinarischen Offerte verwöhnt.
Preise auf Anfrage.

Bwawani Hotel
Bububu/ Nungwi
Funguni Road
Malawi Road
Hafen
Malindi Rd
Malindi St.
Kokoni St.
Creek Road
Mlandege Bazaar
Daratani St.
Kiponda St.
Jamatini Road
Kiponda St.
Niumba Ya Moto St.
Mizingani Road
Hurumzi Street
Changa Bazaar
Tharia St.
Road
Mkuna
New Mkunazini
Katificheni Street
Hamamni Street
Bazar St.
Sukokuu St.
Soko Ya Mohogo
Cathedral Street
Gizenga Street
Street
Baghani
Kenyatta Road
Shangani Street
Shangani St.
72
49
6
7
44
46
56
25
69
15
68
75
24
55
9
50
48
73
51
67
12
47
27
10
26
8
16
4
37
59
62
52
63
54
66
29
1
11
70
71
36
57
31
22
34
13
65
64
14
19
17
18
40
28
21
58
30
35
20

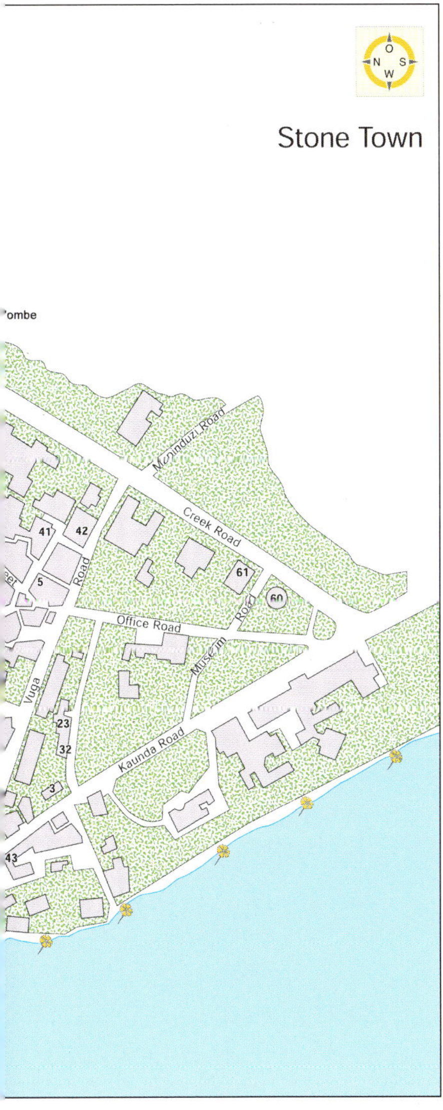

Die Legende zum Stadtplan Stone Town finden Sie auf der nächsten Seite

Legende zum Stadtplan

Unterkünfte

Low Budget

1 Karibu Inn Guesthouse
2 Flamingo Guesthouse
3 Garden Lodge
4 Clove Hotel
5 Santa Monica´s Guesthouse
6 Malindi Annex Guesthouse
7 Malindi Lodge

Mittelklasse

8 Hotel Kiponda
9 Hotel Heart of Zanzibar
10 Spice Inn Hotel
11 Coco de Mer
12 Hotel International
13 Shangani Hotel
14 Baghani House Hotel
15 Marine Hotel

High Class

16 Emerson & Green Hotel
17 Shangani House
18 Mazon´s Hotel
19 Dhow Palace Hotel
20 Hotel Serena Inn
21 Africa House Hotel
22 Tembo Hotel
23 Beit Al Amaan

Restaurants/Cafés

24 Madina Restaurant
25 Restaurant Passing Show
26 Restaurant/Café Palace
27 Pichy´s Restaurant
9 Restaurant/Café/Hotel Heart of Zanzibar
28 Pagoda Restaurant
29 Blues Restaurant
30 La Fenice
31 Fishermen´s Restaurant
23 Zee Bar Restaurant
32 Two Table Restaurant
33 Restaurant Green Garden
72 Al Sheybani Restaurant

Bars/Discos

34 The Garage Club
35 Starehe Club
16 Bikidude Bar
21 Africa House

Nützliches

36 Post
37 Next Step Internet
38 Dr. Metha´s Clinic
39 Zanzibar Medical Center
40 Deutsches Honorarkonsulat
41 Dr. Mario´s Clinic
42 Institut of Kishuaheli
43 Zantel Telefongesellschaft
44 SG´s Beauty Salon
45 Dalla-Dalla Station
46 Majestic Foto Studio
47 Scotch Store
48 Fahrradverleih Adam
49 Tankstelle
50 Fährbüros
51 PWD Commission of Transport and Communication
75 Apotheke

Sehenswürdigkeiten

52 Arabisches Fort
53 House of Wonders
54 Forodhani Gardens
55 Darajani Markt
56 Mlandege Bazar
57 Ehemaliges Britisches Konsulat
58 Tippu Tipp´s Haus
5 Anglikanisches Kirche/ ehemaliger Sklavenmarkt
59 People´s Palace Museum
60 Memorial Museum
61 Historisches Museum
73 Old Dispensary

Reisebüros/Airlines

62 Sama Tours
63 Zentith Tours
18 Precicion Air
64 Madeira Tours
65 Marlin Tours
66 British Airways/KLM
67 Gulf Air
68 Zan Tours
69 Zan Air

Tauchschulen

70 Bahari Divers
71 Zanzibar Dive Center

Auf dem Forodhani-Markt neben der Creek Road gibt's Brot, Waschmittel und Esel zu kaufen

Restaurants

Forodhani Park

Stone Towns Treffpunkt für Jung und Alt. Besonders wenn die Sonne untergeht, geht hier kulinarisch die Post ab. Allerlei leckere Köstlichkeiten werden hier nach Sansibari-Art auf den offenen Grills zubereitet. Sansibari-Pizza (unser Favorit!!), alle möglichen Spieße, Kartoffeln in mehreren Varianten, Suppen, sogar Tee und Gebäck gibt es zum Nachtisch. Und das alles (im Vergleich zu den Restaurants) super billig. Allerdings sieht es mit Sitzgelegenheiten schlecht aus.

Green Garden Restaurant

So sieht ein kuscheliges, gemütliches, empfehlenswertes Restaurant aus: Kleiner Garten, nur ein paar Tische, zwar nicht viele, aber dennoch sehr leckere Gerichte, freundliches Personal, und das alles zu günstigen Preisen. Leider gibt es keinen Alkohol. Unser Tipp: Vegetable Curry mit Chapati!

Passing Show Restaurant

Wenn der Hunger zur Mittagszeit plagt, erhält man hier riesige Portionen. Allerdings gibt es meist nur zwei traditionelle Gerichte: „chicken biriani“ (eine Art Gulasch mit leckerer Soße und Reis) und „pilau“ (Gewürzreis). Auf perfekten Service darf man nicht hoffen, denn es muss schnell gehen, wenn halb Stone Town hier von der Arbeit zum Mittagstisch einläuft.

Palace Bar/Restaurant/Disco

Neu eröffnetes Restaurant mit Café im Innenhof eines arabischen Wohnhauses. Angeboten wird indische und arabische Küche. Angenehmes Ambiente. Im Separée ertönen am späteren Abend zudem noch Discorhythmen.
In Planung: Zimmervermietung.

Al Sheibany Restaurant

Auf der Straße zum Bwawani Hotel im Staddteil Malindi befindet sich dieses Restaurant. Es herrscht zwar eine Art Schwimmbad-Atmosphäre, aber der Geschmack des Essens lenkt von der etwas ungemütlichen Stimmung ab.

Zi Bar Restaurant
Sehr nettes Restaurant etwas abseits vom Zentrum mit vorwiegend italienischer Küche. Aber ein Besuch lohnt sich. Das Restaurant bekommt auch einen Sonderpunkt für das extrem freundliche Personal. Übrigens: Hier kann man sich nach einer herrlichen Privatunterkunft erkundigen (siehe auch: Privatunterkunft „Beit al Amaan“). Nach Shinuna fragen!

Two Tables
„Zwei Tische“ heißt das Lokal, und tatsächlich stehen nur zwei davon zur Verfügung. Das bedeutet, man kann eine sehr familiäre Atmosphäre genießen. Allerdings ist das Restaurant inzwischen in Stone Town bei den Touristen in aller Munde, so dass es kein „Geheimtipp“ mehr ist. Vorbestellung notwendig!

Pichy´s
Beliebter Treffpunkt zum „Sundowner“. Aber auch die Pizza schmeckt besser, weil das Ambiente stimmt. Der Nachteil: ziemlich touristisch.

– Eine Klasse besser ...

Heart of Zanzibar
Hier kocht die Chefin alles frisch. Egal, ob man italienisch (Pizza aus dem Holzbackofen), indisch oder typisch sansibari wünscht. Man sitzt gemütlich auf einer Terrasse und hat Ausblick über die Dächer von Stone Town. Sehr zu empfehlen ist Fish-Curry in Kokosnusssoße!

La Pagoda
Wer auch im Urlaub nicht auf seinen Chinesen verzichten möchte, ist im einzigen derartigen Restaurant der Stadt, dem Pagoda, gut aufgehoben. Die Auswahl der vegetarischen Gerichte besticht. Ebenso wie die Aussicht auf den Hafen.

Blues Restaurant
Nicht zu übersehen ist das „Blues“ am Forodhani Park. Man sitzt sehr romantisch über dem Wasser und kann bei Sonnenuntergang sehr schön die vorbeisegelnden Dhauen bewundern. Gehobenes Preisniveau bei entsprechendem Service.

La Fenice

Unser Tipp! Relativ neu ist das kulinarische Highlight Stone Towns in Sachen „Italien“. Auf einer großen Terrasse gibt es leckere italienische Gerichte, den besten Cappuccino und sogar originale Eiskrem. Sehr guter Service! Ein Lob auf die italienischen Hausherren!

Le Pecheur

Uriges Restaurant mit Atmosphäre. Beliebter Treffpunkt der „europäischen Locals“. Die Auswahl an Gerichten ist recht gut und der Service ebenso in Ordnung. Empfehlenswert!

Emmerson & Green Tower Top Restaurant

Ein wirklicher Genuss für alle Sinne: Das Essen schmeckt exquisit, der Ausblick ist besonders beim Sonnenuntergang traumhaft, und die gemischten Klänge der indischen „mzumari“ (Flöte), des arabischen „muezzins“ und der christlichen Kirchenglocken lässt

Blick von Emmerson & Green's Dachterrasse auf Stone Town

ein Gefühl von 1001 Nacht aufkommen. Sehr zu empfehlen ist deshalb dieses kleine, schicke Restaurant über den Dächern von Stone Town, wo nach landestypischer Art auf arabischen Teppichen und dicken Kissen diniert wird. Vorbestellung notwendig!

Cafés

Heart of Zanzibar
Genau wie das Restaurant, ist auch das dazugehörige Café sehr zu empfehlen. Alles ist super gemütlich in arabischem Stil eingerichtet und die offene Front zur Straße hin macht die Räume luftig frisch. Lecker sind die verschiedenen Kaffeesorten von arabisch bis italienisch, und auch der Service ist bemerkenswert.

Bikidude
Zu Ehren der legendären Sängerin hat der Besitzer des Emerson & Green Hotels dieses geschmackvolle Café im Erdgeschoss des Gebäudes eingerichtet. Da es recht klein ist, gibt es nicht viel Platz für viele Gäste, aber gerade das macht das Café so sympathisch. Außerdem trägt auch die exklusiv-ungewöhnliche Ausstattung dazu bei, dass man sich wohl fühlt.

Serena Inn
Wer mal einen Hauch von Exklusivität spüren möchte, trotz relativ leerem Geldbeutel, kann sich entweder am Nachmittag auf einen Kaffee oder auch mal zum Mittagessen auf die Terrasse des Serena Inns setzen und sich dort von zahlreichen Kellnern verwöhnen lassen.

Café Kelele
Die sansibarische Variante eines Kaffeehauses ist das Kelele in der Nähe des Serena Inn Hotels.

Spice Inn Café
Ein Besuch des Cafés im Spice Inn bietet eine prima Erholungsmöglichkeit während einer Tour durch die Stadt. Der alte Sanibari-Stil ist, genau wie im Hotel selbst, trotz des relativ heruntergekommenen Zustands, immer noch sichtbar.

Africa House
Beliebter Treffpunkt für die Traveller-Szene, besonders zum „Sundowner“. Es gibt in der Stadt keinen günstigeren

Platz, von dem man den Sonnenuntergang besser bewundern könnte: Die Aussicht von der Terrasse ist fast schon kitschig, aber man sollte die Stimmung keinesfalls verpassen.

Nightlife

Starehe Club

Ein beliebter Treffpunkt für Locals. Auf der Terrasse lungert man einfach nur so rum oder man lauscht den Konzerten, die hier meist freitags stattfinden. Getanzt und getrommelt wird dann natürlich auch. Eintritt: Ths 500

The Garage Club

Ein ziemlich verrückter Laden vor dem Tembo Hotel, der am ehesten mit einer typisch europäischen Disco zu vergleichen ist. Afrikanische Musik steht nicht auf dem Programm. Wenn hier Stimmung aufkommt, „dreht jeder durch“. Eintritt: Tsh 1500–2000

Bwawani Disco

In der Disco des Bwawani Hotels trifft sich vor allem am Wochenende die Local-Szene Stone Towns. Europäische Disco-Ambiente darf man nicht erwarten, denn der Tanzschuppen ist ziemlich vergammelt und heruntergekommen. Trotzdem lohnt sich ein Besuch, nicht zuletzt wegen des in der Luft liegenden DDR-Charmes und der Freundlichkeit der Leute. Musik: Dienstags und freitags gibt es vor allem traditionelle Taarab Musik, auch in Form des moderen „Rusha roho“. Ansonsten auch westliche Disco-Musik. Mo/Do freier Eintritt für Frauen, sonst Tsh 1000 für alle.

Was gibt es zu sehen in Stone Town

Das Gassengewirr auf eigene Faust zu erkunden, ist kein unproblematisches Unterfangen. Als Neuankömmling dauert es in der Regel nur wenige Minuten und man ist im Labyrinth der Altstadt „lost“. Macht aber nichts, denn nur so lernt man in der Altstadt zurechtzukommen. Bei der nächsten Tour wird es schon besser.

Um einen ersten Überblick zu bekommen, empfiehlt es sich, einen Führer zu engagieren, der einem die wichtigsten Wege und Besonderheiten der Stadt zeigt.

Sehenswürdigkeiten gibt es jede Menge in Stone Town. Ein Tag genügt auf keinen Fall, um die ganze Faszination der Stadt zu erleben. Hier ein Überblick über die wichtigsten Besonderheiten.
Wir beginnen unseren Rundgang zwar an einem Ort, den jeder problemlos findet, dem "House of Wonder" an der Uferpromenade, aber es wird nicht leicht sein, die angegebene Besichtigungsroute einzuhalten. Deswegen: Einfach mal drauflos marschieren

Beit al Ajaib
Dieser Palast zählt zu den größten und eindrucksvollsten Gebäuden Stone Towns. 1883 erbaute ein britischer Marine-Ingenieur im Auftrag Sultan Bargashs das „House of Wonders", wie es von den Sansibari von Anfang an genannt wurde. Es erhielt diesen Namen, weil es das erste Haus in Ostafrika (vielleicht ganz Afrikas) war, das über die neuesten technischen Errungenschaften der westlichen Welt von damals verfügte: Elektrisches Licht, fließendes Wasser, Toilette mit mechanischer Wasserspülung und – einen elektrischen Fahrstuhl. Da das Gebäude von jeher einen geheimnisvollen Touch hatte, wurden allerhand Schauergeschichten darüber erzählt. So sollen beispielsweise in den Wänden Sklaven eingemauert worden sein, und der indische Türschnitzer soll um die Ecke gebracht worden sein, damit er in Zukunft kein ähnlich prachtvolles Kunstwerk mehr schaffen konnte.

Das Wahrzeichen Sansibars ist nicht nur aus technischer Sicht bemerkenswert, sondern auch aus architektoni scher. So vereint es arabische und viktorianische Baustrukturen. Während der Uhrenturm eher englische Baukultur aufweist, spiegelt die pompöse Eingangstür mit ihren Holzschnitzereien typische arabische Momente wider (s.a. Kapitel Kultur).

Ab 1911 wurde das Gebäude von der britischen Protektoratsverwaltung genutzt, und nach der Revolution 1964 übernahm zunächst die damals regierende ASP, danach die Revolutionspartei CCM die Büroräume. Heute wird es als Museum genutzt.

Eine Liebesgeschichte zwischen den Welten

Prinzessin Salme von Sansibar und Oman wurde 1844 in Sansibar geboren. Sie wuchs mit 35 Stiefgeschwistern und unzähligen Bediensteten im Palast Beit il Mtoni auf. Ihr Vater war der Sultan Sayyid Said und ihre Mutter eine tscherkessische Sklavin, die schon als Kind vom Sultan gekauft worden war. In der arabischen Kultur waren Sklavinnen, die mit ihrem Besitzer Kinder bekommen, normalerweise frei. Ihre Kinder hatten Anspruch auf das Erbe oder auf die Thronfolge. Im Palast wohnten außer dem Sultan, seinen 73 Nebenfrauen, seinen 35 Kindern noch etwa 800 Bedienstete. Als junge Frau lebte Salme auf ihrer eigenen Plantage in Bububu und siedelte später in ein Stadthaus in Stone Town über. Dort verliebte sie sich quer über den Balkon hinweg in ihren Nachbarn. Der Auserwählte war Heinrich Ruete vom Hamburger Handelhaus Hansing & Co. Es begann eine Liebesgeschichte zwischen einer arabischen Prinzessin und einem deutschen Kaufmann.

Am 13. August 1866 schrieb John Witt, der Agent der Hamburger Handelsfirma O'Swald & Co. an seinen Chef eine Begebenheit, die sich für das Konkurrenzunternehmen Hansing & Co als schädliche Klatschgeschichte erweisen sollte:
„Werther Herr O'swald, ...von hier habe ich eine interessante Geschichte zu vermelden...Bibi Salume (das war die Prinzessin) soll von Ruete schwanger sein, wie es von allen Seiten behauptet wird."
Diese Liebesgeschichte wurde ein Skandal. Dabei war noch nicht einmal der Umstand so verwerflich, dass Salme sich in einen Mann verliebte hatte, der nicht ihres Standes war. Denn der Koran erkennt durchaus an, dass es Situationen gibt, wo der Mensch seinem Herzen und seiner Leidenschaft folgen muss. Der eigentliche Skandal war, dass Prinzessin Salme einen Christen auserwählt hatte.

Prinzessin Salme von Sansibar und Oman wuchs im Harem auf

In einer Nacht und Nebel-Aktion floh sie mit einem Schiff von Sansibar nach Aden. Dort wurde sie im christlichen Glauben unterrichtet und auf dem Namen Emily getauft. Nicht viel später heiratete sie ihren Geliebten. In Hamburg wurde sie freundlich empfangen, während sie in Sansibar von ihrer Familie verstoßen wurde.
Am 9. September 1866 schrieb John Witt:

"Werter Herr O'swald,
(...) Bibi Salume ist mit dem Highflyer von hier fort, des Nachts 2 Uhr waren Boten vom Kriegsschiff am Strande, Ruete hatte seine Geliebte bis zum Boot begleitet, und eine Sklavin ist mit, eine andere lief, wie sie ins Boot steigen sollte, fort. (...)
Bargash (der Bruder der Prinzessin) sprach vor einigen Tagen mit mir. Er sagte: "Die Bibi ist für uns verloren, wir kennen sie nicht, aber die Schande, die bleibt."
In Hamburg hatte man bereits von der Geschichte gehört, bevor das frisch gebackene Ehepaar Ruete eintraf. Man betrachtete den Kaufmann mit gemischten Gefühlen. Zum einen hatte er als Ehrenmann gehandelt und die schwangere Frau nicht sitzen lassen, zum anderen hatte er die Beziehungen zwischen Deutschland und dem Sultan sehr strapaziert. Der Prinzessin dagegen fiel es schwer, in Deutschland Fuß zu fassen. Zwar begegnete man der Exotin mit Interesse und ihre 1866 erschienenen Memoiren „Leben im Sultanspalast" beflügelten die Neugier der europäischen Leser. Schließlich hatte man zu dieser Zeit keinerlei Vorstellung, wie eine Leben im Harem des Sultans wohl aussehen könnte. Aber trotzdem blieb sie eine Fremde.
Auch das Liebesglück war von kurzer Dauer: Tragischerweise wurde Heinrich Ruete 1870 von einer städtischen Pferdebahn überrollt und starb. Emily Ruete saß plötzlich mit drei kleinen Kindern alleine in einer für sie fremden Welt. Sie sah sich nun zum ersten Mal mit Geldsorgen konfrontiert.

Den väterlichen Erbteil wollte man der Verstoßenen nicht auszahlen, und ständig hatte sie Heimweh nach Sansibar. 1875 reiste sie nach London, in der Hoffnung ihren Bruder Bargash zu treffen, der inzwischen Sultan geworden war und auf Staatsbesuch in London weilte. Da die Versöhnung misslang, kehrte sie enttäuscht nach Deutschland zurück. Sie hatte die Grenzen des Harems übertreten und musste nun die Konsequenzen tragen. Statt dem Liebhaber zu folgen, hätte sie sich auf ihre Plantage in Bububu zurückziehen sollen, um die Schwangerschaft zu verbergen. Das hätte die arabische Gesellschaft akzeptiert. Immerhin wurde durch den englischen Konsul bekannt, dass der Sultan im Grunde erst Alarm schlug, als er seine Schwester in Sicherheit wusste. Außerdem hatte Heinrich Ruete Sansibar erst einige Monate nach der Prinzessin verlassen, und er wurde in dieser Zeit weder ausgewiesen noch getötet, was durchaus normal gewesen wäre. Erst nachdem er abgereist war, setzten die offiziellen Proteste ein. Das war vermutlich das Einzige, was der nun regierende Sultan Madschid für seine geliebte Schwester tun konnte. Spätere Versuche, mit der Familie Kontakt aufzunehmen, scheiterten, da Salme zwischen die Fronten der deutschen Kolonialpolitik und der Sultansfamilie geriet und von den Deutschen als Ball im Spiel der Mächte eingesetzt wurde. Prinzessin Salme von Sansibar und Oman starb am 29. Februar 1924 und liegt in Hamburg begraben. Heute ist der berühmten Sultanstochter ein eigener Raum im People Palace, dem Museumspalast, gewidmet.

Literaturtipps:

Emily Ruete, geb. Prinzessin Salme von Oman und Sansibar: Leben im Sultanspalast. Philo Verlagsgesellschaft, Frankfurt 1998.

Emily Ruete, geb. Prinzessin Salme von Oman und Sansibar: Briefe nach der Heimat. Herausgegeben von Heinz Schneppen, Philo Verlagsgesellschaft, Frankfurt 1999.

People´s Palace Museum (früher Beit al Sahel)

Links neben dem Beit al Ajaib befindet sich heute eines der drei Museen Stone Towns. Erbaut wurde das Gebäude 1890 vom damaligen Sultan für seine Frau und auch die nachfolgenden omanischen Herrscher nutzten den Palast als Unterkunft für ihre Familien. Zu dieser Zeit war es über einen Gang möglich, vom People´s Palace direkt bis zum House of Wonder zu gelangen, ohne die Räumlichkeiten zu verlassen. Zwischen 1964 und 1994 wurden die Räume als Regierungsbüros genutzt und danach zog das Museum ein. Heutzutage gibt es hier einiges zu erfahren über die Geschichte der Sultane: Familienstammbäume, Gemälde von Kaiser Franz Josef I und Frau Elisabeth, mit denen der Sultan in Sachen Elfenbein- und Gewürzhandel zusammenarbeitete, die Originalgemächer der königlichen Familie, unter anderem die von Prinzessin Salme, die einst für gewisse Zeit dort logierte. Unter den vielen antiken Möbeln hat uns besonders der „Love Chair“ imponiert, einem Sofa, dessen Rückenlehnen diagonal stehen, so dass beide Liebenden sich ständig im Auge haben können.

Neben der frühen Geschichte sind einige Räume der Zeit der Revolution gewidmet, so dass auch die neue Geschichte nicht zu kurz kommt.

Eintritt: US$ 3, Öffnungszeiten: Mo–Fr: 9–18 Uhr, Wochenende: 9–15 Uhr.

Es stehen Führer zur Verfügung, die jedoch nicht wesentlich mehr zu erzählen haben, als ohnehin aus den Informationstafeln ersichtlich ist. Bezahlt wird dieser je nach Zufriedenheit des Besuchers.

Forodhani Gardens

Tagsüber passiert hier eigentlich nichts. Aber spätestens bei Sonnenuntergang versammelt sich nach und nach die halbe Stadt an der Uferpromenade. Denn dann gibt es Abendessen. Zahlreiche Verkaufsstände bieten die leckersten Köstlichkeiten an: Angefangen von fangfrischen Garnelen am Spieß bis zur speziellen sansibarischen Pizza. Für Traveller mit schmalem Geldbeutel genau das Richtige. Aber es ist nicht nur sagenhaft günstig, sondern schmeckt unserer Meinung nach um einiges besser

Fast-Food auf sansibarische Art im Forodhani Gardens

Stone Town von seiner besten Seite: Peoples Palace

als in den günstigeren Restaurants. Ursprünglich wurde der Garten 1936 zum 50. Jubiläum Sultans Kalifa eingeweiht und der Bevölkerung sozusagen als Vergnügungsort zur Verfügung gestellt. Auf dem Podium spielte damals die Band des Sultans für die Öffentlichkeit. Bis heute ist dieser Platz ein beliebter Treffpunkt für Jung und Alt geblieben.
Achtung bei Getränken: Das Wasser für die selbst gepressten Zuckerrohrsäfte ist nicht immer verträglich für europäische Mägen!

Das Waisenhaus

Nicht wirklich eine Sehenswürdigkeit, aber trotzdem interessant ist der ehemalige englische Club, der heute als Waisenhaus genutzt wird. Leicht zu finden, denn rechts neben dem Alten Fort führt unter dem Gebäude in einem Tunnel die Hauptstraße in Richtung Stadtteil Shangani. Das Haus bietet ungewöhnliche Hilfe: Ein unerwünschtes Kind in einen Korb an den Eingang legen, klingeln, weglaufen und das Baby wird aufgenommen. Wenn die Kinder zu alt für's Waisenhaus sind, wird ihnen ein gewisser Geldbetrag zum Überleben ausgehändigt. Eine bemerkenswerte Sozialeinrichtung des 1. Präsidenten Sansibars Karume.

Das arabische Fort

Das Fort hat eine lange und wechselhafte Geschichte hinter sich. Im 17. Jahrhundert erbaute die neue arabische Herrschaft Sansibars dieses Fort und warf nicht nur die Portugiesen aus dem Land, sondern überbauten auch deren Kirche aus dem Jahre 1560. Im 19. Jahrhundert war der Bau zunächst Gefängnis, dann Bahnhofsstation für die legendäre Eisenbahn nach Bububu und später Tennisplatz für die Damen der feinen englischen Gesellschaft. Seit 1994 steht Kultur auf dem Programm: Openair-Theater, Konzerte, Tanzveranstaltungen. Jedes Jahr wird hier das ZIFF (Zanzibar International Film Festival) ausgetragen, das größte Musik- und Film-Event Ostafrikas (s.a. Kasten). Im täglichen Leben hoffen eine Kunstgalerie und einige Cafés und Restaurants auf zahlungskräftige Kunden.

St. Joseph's Kathedrale

Nachdem 1860 die französische Mission in Sansibar gegründet wurde, dauerte es nicht lange, bis im Jahre 1896 begonnen wurde, diese römisch-katholische Kirche zu bauen. Eigens dafür beauftragt wurde ein französischen Architekt namens Léon Vodoyers, der das Gotteshaus in neuromantischem Stil nach dem Vorbild der Kathedrale in Marseille konstruierte. Heutzutage stehen die bemerkenswerten Flügeltüren regelmäßig sonntags zum katholischen Gottesdienst offen.

The Old Dispensary

Das ehemalige Krankenhaus, in dem alle Stilrichtungen der ethnischen Gruppen Sansibars zum Ausdruck kommen, befindet sich gegenüber den Lagerhallen des Hafens in der Mizingani Road. Es zählt zu den architektonischen Vorzeigeobjekten der Stadt, nachdem die Stone Town Conservation Authority das Haus vor dem Verfall gerettet hat. Die gelungene Restaurierung soll andere Hausbesitzer Stone Towns anspornen, ihre Häuser nach altem Vorbild zu erneuern. Heute dient das indische Gebäude als Kultur- und Geschäftszentrum, zusätzlich befinden sich dort ein Restaurant und diverse Souvenirshops.

Der Hafen

Er ist die Seele der Stadt. Neben den Buchungsbüros der Fährunternehmen befindet sich hier auch die Hafenpolizei, der Zoll und die Einwanderungsbehörde. Viel interessanter ist jedoch der traditionelle Dhau-Hafen, wo Segelschiffe in allen Formen und Größen dicht beieinander liegen: Große Dhauen in vielen Variationen oder kleinere, katamaranähnliche Einbäume.
Wer per Schiff weiterreist, wird das geschäftige Treiben ohnehin mitbekommen. Aber auch sonst lohnt sich ein Besuch im Hafen. Besonders morgens, wenn der Fang auf dem Fischmarkt feilgeboten wird, ist die Hölle los.
Achtung: Zum einen ist grundsätzlich Vorsicht geboten, denn allerlei Gauner treiben sich in der Gegend herum. Zum anderen sollte man beim Fotografieren vorher immer um Erlaubnis fragen!

Darajani Markt

Im Jahre 1904 wurden die Gebäude um den Marktplatz herum erbaut, und bis heute sieht fast alles noch aus wie damals. Aber auch der lebhafte Markt selbst spielt sich noch genau so ab wie vor 100 Jahren. Die verschiedensten Dinge stehen zum Verkauf: Fische, die in Form einer Auktion angeboten werden; Fleisch, das für unsere Augen nicht unbedingt appetitlich wirkt; die verschiedensten Arten von Früchten und Gemüsesorten wie Maniok, Kasava, Mangos, Durian, Bungos, Passionsfrüchte und vieles mehr aus den fruchtbaren Anbaugebieten Sansibars.

Geöffnet ist der legendäre Markt täglich von 6–15.30 Uhr. In seinem Außenbereich sogar bis zum Sonnenuntergang. Für Fotografen ist dieser Platz im übrigen ein Eldorado. Sie sollten jedoch immer erst fragen, bevor sie knipsen.

Maledge Markt

Hier geht es ähnlich zu wie auf dem Darajani Markt, aber nicht so fruchtig, fischig und fleischig. Hier gibt es eher die „Hardware“ zu kaufen: Haushaltsartikel, Stoffe, Kleider, Moskitonetze, Radios und allerlei anderen Krimskrams. Auch eine perfekte Location für Fotoaufnahmen.

Anglikanische Kirche und Sklavenmarkt

Genau an der Stelle, wo heute die anglikanische Christuskirche steht, war einst der zentrale Umschlagplatz des ostafrikanischen Sklavenhandels zu finden. Unterhalb der Klosterräume können Besucher die engen Gewölbe bestaunen, in denen die Sklaven vor dem Verkauf oft wochenlang schmachten mussten. Ob diese Kellerräume allerdings tatsächlich aus dieser Zeit stammen, scheinen einige Kenner zu bezweifeln. Die Gebäude sollen erst erbaut worden sein, als der Sklavenhandel schon längst verboten war. Wie die historische Wahrheit auch immer aussieht – klar ist, dass der Sklavenmarkt hier abgehalten wurde, und dass in nur wenigen Quadratmeter großen Zellen bis zu 50 Männer und Frauen eingepfercht wurden. Die Sklaven, die nach einer langen Karawanentour aus dem zentralen Afrika auch diese Quälerei überstanden hatten, mussten erleben, wie Kaufinteressierte mit grausamen Hieben am Prügelstock die Widerstandsfähigkeit ihrer zukünftigen Sklaven überprüften. Englische Missionare haben 1873 nach dem Sklavenverbot die anglikanische Kirche erbaut. Sie steht für interessierte Besucher offen. Zur Erinnerung an die auswegslose Situation der Sklaven hat

Das heutige Waisenhaus war früher ein englischer Club

Saftige Mangos kann man an jeder Ecke kaufen

eine schwedische Künstlerin ein Mahnmal geschaffen, das im Garten der Kirche zu besichtigen ist.

Nationalmuseum

Hier gibt es omanische Sultanskultur zu bestaunen: Banknoten, Münzen, Truhen und Töpfe, Musikinstrumente, Waffen, antike Möbel. Jedoch sollte man das Museum nicht mit uns bekannten, gut organisierten europäischen Versionen vergleichen. Alles ist etwas unübersichtlich zusammengewürfelt und trotz der Vielzahl der Gegenstände wird die traditionelle Omani-Kultur leider nur spärlich dokumentiert und nicht wirklich deutlich. Bedauerlich ist zudem, dass der Sklavenhandel, auf dem der Reichtum der Sultane schließlich basierte, fast gar nicht erwähnt ist. Trotzdem: Kulturinteressierten raten wir einen Besuch an.

Hamamni Bäder

Hamamni bedeutet auf swahili „Ort des Badens". Heutzutage wird dort zwar nicht mehr gebadet, aber es lohnt sich, die ersten und bemerkenswerten persischen Badeanstalten Sansibars zu besichtigen, die Sultan Bargash von einem Architekten namens Haji Gulam Hussein im Zentrum Stone Towns hinter der St. Joseph´s Kathedrale erbauen ließ.

Haus des Sklavenhändlers Tippu Tip

Spuren des Sklavenhandels gibt es viele in Stone Town. Ein davon führt zum Haus des erfolgreichsten Sklavenhändlers Ost- und Äquatorialafrikas Tippu Tip. Sein wirklicher Name war zwar Achmed bin Muhammed, aber weil er ständig mit den Augen zwinkerte, nannte man ihn Tippu Tip. Eine andere Erklärung besteht darin, dass er nicht, wie bei den Arabern üblich, ein Schwert um hatte, sondern eine andere Waffe, die beim Gehen seltsame Geräusche machte („tiptiptip..").

Reich, berühmt-berüchtigt und grausam soll er gewesen sein, aber trotzdem geachtet. Denn die Highsociety Sansibars ging im 19. Jahrhundert bei ihm ein und aus. Zeuge seines immensen Reichtums, den er nicht nur durch den Sklavenverkauf erlangt hat, sondern auch durch allerlei anderen Handel, ist die pompöse geschnitzte Holztür an seinem Hauseingang.

Britisches Konsulat

Von 1841 bis 1874 waren diese Gebäude die Büroräume des Britischen

Konsulates. Gleichzeitig diente es als „Basecamp" der großen britischen Entdecker Afrikas wie Livingstone, Speke, Stanley Burton und Grant., bevor es losging in die unerforschten Gebiete Afrikas.
Heutzutage werden die Räume von der Regierung genutzt, und nur noch am Eingang erinnert ein Schild an die großen Tage dieses Gebäudes.

Plattenbauten im Stadtteil Ng´ombe
Die sansibarische Kooperation mit der damaligen DDR hat im Stadtteil Ng´ombe Plattenbausiedlungen von nicht undeutender Scheußlichkeit hinterlassen. Obwohl der Wasserdruck nicht bis in die oberen Stockwerke reicht und das Flurlicht grundsätzlich nicht funktioniert, ist es für Sansibari schick, hier zu wohnen.

Livingstone House
Etwas außerhalb der Stadt befindet sich die ehemaliges Ausgangsbasis des Afrikaforschers Livingstone. Dort bereitete er im Jahre 1866 seine letzte Expedition ins Landesinnere Afrikas vor. Später wurde das Gebäude Eigentum der indischen Gemeinde, die dort ihre religiösen Treffen abhielten. 1947 hat die Regierung das Haus renoviert und es als Sitz für ihre wissenschaftlichen Forschungen genutzt. Heute ist es alibimäßig der Hauptsitz der Zanzibar Tourist Corporation (ZTC). Wer jedoch touristische Informationen braucht, sollte sich von diesem hochtrabenden Namen nicht täuschen lassen, denn brauchbare Infos gibt es hier so gut wie keine (s.a. Auskunft/Kapitel A bis Z).

Was kann man unternehmen in Stone Town

– Tauchen/Tauchschulen
Es gibt mehrere Anlaufstellen in Sachen Tauchen in Stone Town. Die Schulen führen vor allem Tauchtouren in der Gegend um Stone Town durch, bieten aber auch Exkursionen an die Ostküste und zum Mnemba Atoll an.

The Zanzibar Dive Center/ One ocean Ltd.
Tel./Fax: 2238 374 oder 0742-750 161,
E-Mail: oneocean@twiga.com,
Internet: www. zanzibaroneocean.com
Dieses Tauchcenter (PADI *****) befindet sich in der Kenyatta Road,

gegenüber der Bank. Der freundliche und kompetente australische Besitzer Gary Greig bietet in seiner Padi-Schule alle Varianten von Tauchlehrgängen an, vom Anfängerkurs bis zum Tauch-Assistent. Seine Kurse werden hauptsächlich in englischer und spanischer Sprache durchgeführt. Profis haben hier die Möglichkeit, mit einer geliehenen Unterwasserkamera die Korallengärten und Fischarten des Indischen Ozeans abzulichten. Für Nichtprofis gibt es Schnochelausrüstungen zu leihen.

Auszug aus der Preisliste (inklusive Ausrüstung):

Einzelner Tauchgang:	US$ 40
4 Tauchgänge:	US$ 120
Schnorchelausrüstung:	US$ 15
Ganztägiger Tauchausflug:	US$ 80

Kursbeispiel: 4–5 Tage Open Water-Kurs, 4 Tauchgänge: US$ 320

Bahari Divers

Tel.: 0741-750 293,
E-Mail: baharidivers@hotmail.com
Internet: www.zanzibar-diving.com

Diese Tauchschule führt als einzige deutsche Kurse durch. Inka, die Besitzerin, ist seit 4 Jahren auf der Insel und schwört auf diesen Tauchspot. Ihre Exkursionen führen vor allem zu den Stone Town vorgelagerten Inseln. Die Schule ist zentral gelegen, gleich hinter dem Tunnel auf der Kenyatta Road. Bei ihr wird Sicherheit großgeschrieben. Alle ihre Gäste sind im Fall eines Tauchunfalls versichert. Zudem ist sie im Besitz eines speziellen Sauerstoff-Notfallsets, mit dem der Verunglückte acht Stunden versorgt werden kann, bis gezielte Hilfe eintrifft.

Übrings: Inka bietet die günstigste Unterkunft Stone Towns an (siehe Kapitel private Unterkünfte).

Preisbeispiele:

Einzelner Tauchgang:	US$ 40
4 Tauchgänge:	US$ 120
Schnuppertauchen:	US$ 50–70
2 Tage Einsteigerkurs mit Zertifikat:	US$ 180
4 Tage Einsteigerkurs mit Tauchschein:	US$ 320

Der Hafen von Sansibar

Was man in der DDR spöttisch "Arbeiterschließfach" nannte gilt hier als schick: Diese Plattenbauten im Stadtteil Ng'ombe sind das Vermächtnis der "Ossis"

Tauchsafari mit dem Katamaran „Inula"

Tel.: 0742-781 376 oder
0741-351 997, Fax: 2231 040
E-Mail: inula@inula.co.tz

Der Deutsche Arvid Martinkat lebt seit 6 Jahren auf seinem Katamaran in den Gewässern rund um Sansibar und Pemba. Dort segelt er „Inula" und bietet für seine Gäste ein exklusives Tauch-Highlight: Mehrtägige Tauchsafaris vor Sansibar und vor allem in die unberührten Unterwassergärten Pembas. Getaucht wird 3–4 mal pro Tag, und Unterkunft und Verpflegung gibt es natürlich auf dem Kat. Nur 5 Gäste lädt er auf sein voll ausgestattetes Boot ein, so dass seine Touren zwar nicht gerade günstig, aber dafür eine Besonderheit sind. Wer ein wirkliches Taucherlebnis genießen möchte, ist hier an der richtigen Stelle. Genaue Preise sind direkt bei den Kontaktadressen zu erfahren.

Kontakt in Deutschland:
Ute Martinkat
Wiechendorfer Weg 6
30900 Wedemark
Tel./Fax: 05130-79 03 26

Tauchspots

Pange Sand Reef: Hübsches Tauch- und Schnorchelrevier südlich des Serena Hotels. Maximum 14 Meter Tiefe. Hier gibt es eine große Vielfalt an Korallen und die unterschiedlichsten Rifffische.

Bawi Island: Relativ unberührte Insel in einiger Entfernung von Stone Town (ca. 1 Stunde Bootsfahrt). Tauchtiefe bis maximal 18 Meter. Die Besonderheit: Jede Menge intakte Korallen und ein 20 Meter langes Wrack. Die Spezialtour von Inkas „Bahari Divers".

Murogo Reef: Maximum 24 Meter tief. Das bevorzugte Tauchgebiet für Einsteigerkurse. Fahrtdauer zum Riff ca. 25 Minuten.

Nyange Reef: Das längste aller Riffe an der Westküste, mit mehreren Tauchspots. Hier wurde vor einiger Zeit eine Spezies von Korallen entdeckt, von denen Meeresbiologen glauben, sie sei endemisch in Nyange.

Boribu Reef: Dieses Riff wird nur vom Zanzibar Dive Center angefahren. Nach 45-minütiger Bootsfahrt kommt man an diesem Fortgeschrittenenrevier an. Die Tauchtiefe geht bis maximal 30 Meter. Während der Saison werden hier manchmal Wale gesichtet.

Chumbe Island: Die Unterwasserwelt um Chumbe ist für Liebhaber des Tauchsports zwar ein sehr guter Spot, allerdings sind in diesen Gewässern aus Gründen des Naturschutzes nur Schnorchler erlaubt. Flaschentauchen ist verboten.

– Entspannung

Natural Health Centre
Für die ultimative Entspannung gibt es im Mbweni Ruins Hotel Ganzkörpermassagen, Aromatherapie, fruchtige Gesichtsmasken – mit einem Wort „das Wohlfühlprogramm" pur.

SG's Natural Beauty Salon
Neben dem Majestic Foto Shop gelegen führt Sukaima ihren Schönheitssalon, der dem Äußeren nach zwar nicht einem uns bekannten Salon entspricht, aber trotzdem ein Besuch wert ist. Ihr Angebot beinhaltet die unterschiedlichsten Behandlungen, angefangen von Maniküre, Pediküre, Massagen, Gesichtsbehandlungen bis hin zur Henna-Malereien. Das Besondere bei Sukaima ist, dass sie für ihre Behandlungen ausschließlich natürliche Produkte verwendet, wie Kokosnuss- oder Nelkenöl, Orangen, Korianderblätter – alles landestypische Produkte aus der Pflanzenwelt Sansibars. Außer in ihrem Salon kann man Sukaima auch am Markt am House of Wonders finden.

– Inselausflüge

Chapwani Island
Am 20. 9.1914 griff das deutsche Kriegsschiff „Königsberg" vor Sansibar die britische „H.M.S.Pegasus" an. Die Schlacht war heftig und sie forderte zahlreiche Tote. Die Opfer wurden auf der nächstgelegenen Insel begraben: Auf Chapwani. Aufgrund des historischen Friedhofs wird sie auch „Grave Island" genannt.
Neben diesen Gräbern gibt es – wenn man Glück hat – auch noch Sehenswürdigkeiten in Sachen „Zoologie" zu bestaunen: Eine besondere Gazellen-

Grave Island: Kärgliche Gräber sind die einzige Attraktion auf der Insel

art und zahlreiche Vogelarten. Außerdem: Wer sich vor Malaria fürchtet, ist hier gut aufgehoben, denn eine Fledermauskolonie sorgt dafür, dass Moskitos auf dieser Insel keine Chance haben.

Einige Zeit lang wurde das kleine Eiland von der Armee Sansibars zu geheimdienstlichen Zwecken genutzt, aber heute ist sie zugänglich für Touristen. Der italienische Pächter Scipio Silvi, betreibt dort eine Bungalow-Anlage gehobenen Niveaus. Die 10 Zimmer verfügen alle über heißes Wasser. Ausgezeichnet ist die Küche des angeschlossenen Restaurants. Ein leckeres Abendessen auf der Insel ist fast besser als die recht dürftigen Sehenswürdigkeiten! Der Besuch der Insek lohnt sich nicht wirklich. Allerdings hat dies auch seinen Preis!
Doppel: US$ 70–100 Halbpension pro Person, Single: halber Preis + 10%
Transport: Abfahrt des Bootes bei „Pichy´s, Kosten US$ 5 pro Person hin und zurück. Kontakt: Tel.: 2233 360, E-Mail: imani@zansinet.com

Changuu-Island (Prison-Island)

Prison Island trägt seinen Namen wegen eines völlig zerfallenen Gefängnisgebäudes, das 1893 hier erbaut wurde. Zwar sagt man, das Gefängnis sei nie als solches genutzt worden, doch das stimmt nicht ganz. Hier wurden aufmüpfige Sklaven eingesperrt, die sich gegen die arabische und englische Unterdrückung zur Wehr setzten. Allerdings zu einer Zeit, als die Sklaverei schon offiziell abgeschafft war. Aber eben nur offiziell. Später wurde das Gebäude als Quarantänestation für Pockenkranke genutzt. Die Insel steht heute unter Naturschutz. Ihre eigentliche Attraktion sind die Riesen schildkröten, die im 18. Jahrhundert von Seefahrern von den Seychellen mitgebracht wurden. Sie fühlten sich schnell heimisch und eroberten die Insel. Leider wurden von den ehemals 60 Riesenschildkröten in letzter Zeit so viele gestohlen, dass die 20 verbliebenen Riesengefährten nun eingezäunt leben müssen. Außerdem gibt es einen Schildkröten-Kindergarten und ein Tierpfleger kümmert sich darum, dass der Nachwuchs schnell groß und stark wird. Die Insel kann man locker zu Fuß erkunden. Der kleine weiße Sandstrand ist nur bei Ebbe vorhanden und bei Flut geht man vom Steg aus baden. Ein Tagesausflug lohnt sich in jedem Fall. Die 45 Minuten Überfahrt können aber durch den Seegang recht feucht werden. Inseleintritt: US$ 4.

Die einzige Unterkunft auf der Insel ist das *Changuu Hotel.* Das kleine staatliche Hotel der Kategorie „Augen zu und durch“ war einst das Wohnhaus des Gefängniswärters. Es hat den verfallenen Charme eines heruntergekommenen Badeorthotels. Da es auf der kleinen Insel aber keine Alternativen gibt, treffen sich alle Gäste auf der sehr netten Terrasse zum Mittag- und zum Abendessen. Das Kobe-Restaurant hat eine kleine Karte mit verschiedenen Gerichten zwischen Tsh 4000 und Tsh 5000. Wer keine Ansprüche an die Unterkunft stellt, wird hier eine wunderbar verschlafene Einsamkeit vorfinden. Wenn die fünf Zimmer im Außengebäude voll sind, wird man im ehemaligen Hospital untergebracht. Das wünschen wir aber niemandem. Da das Hotel staatlich ist, läuft alle Kommunikation über die Zanzibar Tourist Kooperation in Stone Town, die bekanntermaßen ihre Aufgaben nicht wirklich wahrnimmt. Wenn Sie nicht verzweifeln wollen, sollten Sie besser einfach hinfahren. Doppel: US$ 20, Tripple US$ 24; inklusive Frühstück

Chumbe Island

Vor 50 Millionen Jahren hat sich der Meeresspiegel gesenkt und eine kleine Korallenriffinsel erhob sich acht Seemeilen südwestlich von Sansibars Stone Town. Im Laufe der Zeit wurden Samen mit den Strömungen des Meeres angeschwemmt und es wuchsen Mangroven, riesige Baobabbäume und Sansiverien, die hier „Schwiegermutterpflanzen" heißen, weil ihre Blätter ledrig, scharf und lang sind wie die Zunge der ungeliebten Verwandten. Die Korallenriffe rund um die Insel sind durch eine außergewöhnliche Idee einer Heidelbergerin noch nicht zerstört. 1991 hat Sybille Riedmüller die kleine Korallenriffinsel für sich entdeckt und machte aus dem unbewohnten Eiland eine Öko-Insel. Ihr Anliegen: Die einzigartige Korallen- und Fischwelt rund um die Insel zu schützen. Denn die sensiblen Ökosysteme der Korallenriffe, von denen einige 500 Millionen Jahre alt sind, laufen Gefahr, überall auf der Welt durch das Dynamitfischen, Umweltverschmutzung und Klimaveränderungen innerhalb der nächsten 20 bis 40 Jahre zu verschwinden.

Chumbe Island ist der einzige UN-registrierte Marine Park Tansanias und steht seit 1994 unter dem Schutz der Regierung. Er wird als der schönste Korallengarten der Welt bezeichnet. Ob das allerdings jemand unterschreiben würde, der in klassischen Tauchrevieren wie im Roten Meer oder auf den Malediven geschnorchelt hat, bleibt offen. Trotzdem lohnt sich ein Besuch in diesem besondern Tauchrevier. Es gibt hier 200 verschiedene Korallenarten und 400 unterschiedliche Fische. Das Chumbe Forest Reserve ist ein Korallenriffwald, in dem die unterschiedlichsten Reptilien, Vögel und die seltene Kokosnusskrabbe, die sich von Kokosnüssen ernährt, zu Hause sind.

„Ich hatte einen Leuchtturm in Afrika" begann der Geo Saison-Autor Andreas Greves einen Text über Sansibar. Denn auf Chumbe steht ein schmucker kleiner Leuchtturm, der 1904 von den

Briten erbaut wurde. Außerdem findet man noch ein paar Überreste einer überdimensionalen Telefonleitung, die von Chumbes historischer Vergangenheit zeugt Bevor die Insel zum ökologischen Vorzeigemodell avancierte, hatte sie eine andere Funktion: Hier befand sich die Telefonzentrale Sansibars, Dar es Saalams und die der arabischen Welt.

Es regnet fast nie auf Chumbe. Die Regenzeit geht hier unbemerkt vorüber, sehr zum Bedauern der dortigen Pflanzenwelt. Diese helfen sich aber glücklicherweise selbst: Entweder sie speichern das nötige Wasser oder nehmen es über eine Vielzahl von Luftwurzeln aus der Luftfeuchtigkeit auf. Außer vielen Grünschlangen soll es auch eine Pythonschlange geben, die allerdings schon seit Jahren niemand mehr gesehen hat. Auch die seltenste Antilope der Welt, die sansibarische Zwergantilope, zeigt sich nur selten.

Die Insel steht unter Naturschutz und alles funktioniert wie bei deutscher Präzisionsarbeit. Die Organisation ist ökologisch perfekt und vorbildlich. Sogar auf der Hinfahrt mit dem kleinen Motorboot (Dauer ca. 1 Stunde) achten die Fahrer entgegen der sonst üblichen Praxis darauf, dass die Wellen nicht zu sehr gegen die Reling klatschen und die Touristen nicht geduscht werden. Die Ranger, die die Touristen hier herumführen, sind bekehrte ehemalige Dynamit-Fischer, die sich einwandfrei auskennen und zudem fließend englisch sprechen. Außer den Touristen werden auch Schulklassen hier herumgeführt. Auf Chumbe wird zwar ein Tourismus praktiziert, den sich nicht jedermann leisten kann, aber man bekommt dafür einen guten Service und sehr gutes Essen. Normale Durchschnittsverdiener und erst recht keine Low Budget Traveller können sich hier die Übernachtungen leisten. Leider!

Chumbe Bungalows

Tel./Fax: 2231 040 oder 2231 832,
E-Mail: hotel@mbweni.com

Nicht nur das Leben auf der Insel und die umgebende Unterwasserwelt ist ökologisch organisiert, sondern auch die außergewöhnlichen Unterkünfte. Entworfen wurden die Bungalows von Georg Fiebig, einem deutschen Architekturstudenten. Jedes Haus hat

seine eigene Wasserversorgung. Per Solarzellen wird das Wasser aufgeheizt, so dass der Gast nicht auf die heiße Dusche verzichten muss. Die Hütte (sie ist es nicht wirklich, sondern eher ein Dschungelpalast) besteht aus zwei Etagen, einer Wohn- und einer Schlafebene. Überall ist deutscher Perfektionismus zu spüren, denn alles ist genial durchdacht: Das Abwasser wird in die Gärten weitergeleitet, Duschwasser wird für die Toilettenspülung aufgefangen und der Schlafraum kann zur Belüftung per Seilzug in seiner ganzen Front nach außen geöffnet werden. Die Bungalows sind perfekt eingegliedert in die Natur, so dass trotz des Komforts leicht das Gefühl von Zeltatmosphäre aufkommt.
Doppel: US$ 200 alles inklusive

Wichtige Tipps & Infos

Film- und Fotoshop

Der Majestic Quick Foto-Shop ist der einzige relativ kompetente Laden in Stone Town in Sachen Foto. Ihre Bilder werden dort sofort entwickelt, allerdings darf man keine europäische Qualität erwarten. Wer Probleme mit seiner Kamera hat, findet hier hilfsbereite Unterstützung, auch wenn es aufgrund materieller Versorgung nicht immer klappt.

Alkoholische Getränke

In Stone Town werden in den normalen Läden und Supermärkten keine alkoholischen Getränke verkauft. Spezielle Shops gibt es am Darajani Markt (siehe Stadtplan): Bottom´s up und Scotch Store.

Sehenswertes in der Umgebung von Stone Town:

Persische Bäder von Kidichi

Ca. 5 Kilometer von Bububu entfernt in der Gegend der großen Gewürzplantagen der Insel – der Besuch hier lässt sich prima mit der "Spice Tour" verbinden – befinden sich die Überreste eines persischen Bades. Als der Nelkenhandeln auf Sansibar noch blendend funktionierte, ließ Sultan Sayyid Said 1864 dort zu Ehren seiner Frau Sehrazade Binte Irich Mirza einen prächtigen Badepalast erbauen. Da sie die Enkelin des Schahs von Persien war, wählte der Sultan ihrer Familie zu Ehren einen persischen Baustil und die Gemäuer wurden mit aufwendigem Stuck verziert. Wann immer das Leben in der Stadt zu "anstrengend" wurde, zog sich die Sultansfamilie hierher zurück, um zu jagen oder die Arbeiten auf den Plantagen zu kontrollieren. Da sich heute niemand dem Gebäude annimmt, ist von dem ehemaligen Glanz nur noch wenig zu sehen, nur ein Badehaus ist noch zu besichtigen, dessen ehemals prachtvoller Stuck langsam aber sicher vergammelt.

Mtoni Palace

Man sagt, der Palast sei das älteste omanische Sultansgebäude Sansibars. Gleich um die Ecke von Stone Town, ca. 2 Kilometer in Richtung Bububu erreicht man die geschichtsträchtigen Ruinen des Palastes, den Sultan Said bin Sultan im Jahre 1828 erbauen ließ. Das Gebäude muss damals pompös gewesen sein, denn Prinzessin Salme berichtet in ihren Memoiren ausführlich von der Einzigartigkeit dieses Palastes, in dem sie ihre Kindheit verbracht hatte. (Siehe dazu Kasten S. 150). Genau wie der Maruhubi Palast, fiel auch dieses Gebäude unglücklicherweise einem Feuer zu Opfer, so dass heute nur noch die dazugehörige Moschee zu besichtigen ist.

Maruhubi Palace

99 Zimmer hatte dieser Palast des Sultans Bargash – je eines für seine 99 Konkubinen. Jede einzelne hatte für sich sozusagen ein kleines, aber luxeriöses "Apartment" mit persischem Bad zur Verfügung, in denen der Sultan seinen Vergnügungen nachkam. Man sagt, er tauchte jeden Tag auf und nahm jede

Nacht fünf von ihnen nach einem festgelegten Reigen mit in sein Bett. Dabei versuchte er angeblich, jede seiner Zweitfrauen gleich zu behandeln. Ob ihm das wirklich gelang, weiß jedoch keiner so genau.
Zugegeben, es erfordert manchmal viel Fantasie, sich in die Vergangenheit zu versetzen. Hier fällt es wirklich leicht, denn beim Anblick der Überreste des ehemaligen Lustschlosses mit seinen Dampfbädern und Ruheräumen ist nur wenig Einbildungskraft notwendig, um sich vorzustellen, dass das Leben hier nicht langweilig war. Komfort wurde damals nicht nur im House of Wonders groß geschrieben, sondern auch hier. Das ursprüngliche zweistöckige Gebäude mit seinen besonderen persischen Bädern und den prachtvollen Gartenanlagen galten damals zu den schönsten der gesamten Insel. Neben anderen Annehmlichkeiten wurde beispielsweise das Wasser für die ausgiebigen Bäder des Sultans und seiner Konkubinen von eigens dafür angefertigten Pumpen aus Bububu gebracht und später auch für die Wasserversorgung von Stown Town genutzt. Im Jahre 1899 wurde der Palast leider durch ein Feuer fast bis auf die Grundmauern zerstört.

In Süden/Im Zentrum der Insel

Jozani Forest

Auf dem Weg nach Jambiani bzw. Kizimkazi trifft man auf ein besonderes Urwaldgebiet, das einzige seiner Art auf Sansibar. Wer einen Eindruck haben möchte, wie Sansibar vor dem arabischem Ausverkauf in Sachen Holz ausgesehen hat, sollte einen Besuch hier nicht verpassen. Leider ist von der einzigartigen Fläche heute nur noch dieses Gebiet übrig, das früher einen Großteil des Landesinneren umfasste. 1960 wurde die Gegend von der Regierung zum Schutzgebiet erklärt, um die einzigartige Vegetation und den besonderen Wildbestand zu schützen. Die kommerzielle Ausbeutung begann in den 30er Jahren, als ein arabischer Kaufmann das Land erstand und zur Holzgewinnung nutzte. Auch die Bewohner der angrenzenden Dörfer schlugen ihr Feuerholz in diesem Waldgebiet – und tun dies zum Teil auch heute noch, trotz des bestehenden Verbotes. Mit einem Wiederaufforstungsprogramm wurde versucht, die ökologischen Kronjuwelen des Waldes zu retten: Den artenreichen Baumbestand bestehend aus Mahagonibäumen, Feigen, den verschiedensten

Arten von Palmen wie beispielsweise Öl-, Dattel- oder Rafiapalmen. Wenn man genau hinschaut, findet man auch diverse wilde Gewürzpflanzen. Der hohe Grundwasserspiegel hat dafür gesorgt, dass hier ein dichtes Sumpfgebiet entstand, so dass man beim Begehen des Waldes immer wieder auf Wassertümpel trifft, in denen Frösche und allerlei anderes Getier plantschen. Wer das Badevergnügen nicht teilen möchte, sollte den vorgegebenen Pfad nicht verlassen. Aber nicht nur profane Frösche, sondern auch wirklich exotische Lebewesen finden hier ein Zuhause. So schwirren jede Menge wunderbarer Schmetterlinge und mehr als 40 verschiedenen Vogelarten durch die Lüfte, unter ihnen auch der endemisch vorkommende Tauraco. Bei den Vierbeinern zählt vor allem der ebenso nur auf Sansibar vorkommende Ader´s Duiker und die scheuen Suniantilpoen zu den Hitlistenanwärtern, dicht gefolgt vom Sansibar-Leoparden, dessen Population leider bedenklich abnimmt. Obwohl von Natur aus sehr scheu, aber inzwischen an Besuch gewöhnt, sieht man die Hauptattraktion des Waldes häufiger, die Roten Colobusaffen. Unverkennbar ist dieser Primat mit seiner langen, weißen Haarkrone und der rosigen Flächen um Nase und Mund. Ein Drittel der ca. 1500 Exemplare dieser weitere endemischen Tierart findet in diesem Schutzgebiet Zuflucht.

Wer sich in Sachen Mangroven weiterbilden möchte, darf den von Entwicklungshilfeorganisationen unterstützten Pete-Jozani-Mangrove-Boardwalk nicht verpassen – einen Lehrpfad, der in den Lebensraum des Mangrovenwaldes einführt.

Eintritt: US$ 8.

Öffnungszeiten: Im Allgemeinen ganzjährig geöffnet, außer bei starken Regenfällen in der Regenzeit, wenn die Trails überflutet sind. Zutritt nur in Begleitung eines offiziellen Führers erlaubt.

Spice Tour – Eine Entdeckungsreise in die Welt der Gewürze

"Bleib dort, wo der Pfeffer wächst", sagt das Sprichwort. Damit ist bestimmt Sansibar gemeint, denn hier kann man, wie sonst fast nirgendwo auf der Welt, hervorragend beobachten, wie nicht nur der Pfeffer, sondern jede Menge anderen Gewürze gedeihen. Kein Wunder, dass Sansibar seit dem 19. Jahrhundert den Spitznamen "Gewürzinsel" bekommen hat, denn nicht zuletzt durch den Gewürzhandel in alle Welt hat diese Insel damals immensen Reichtum erlangt.

Nelken - der Exportschlager

Nelken waren schon immer der Exportschlager Sansibars. Während der 2. Hälfte des 19. Jahrhunderts produzierte Sansibar 90 % der Weltproduktion, und bis heute stammt der Hauptteil der Nelkenlieferungen aus den Plantage auf Sansibar und Pemba. Die getrocknete Blüte des Nelkenbaums versprüht ihren typischen Geruch überall auf der Insel.

Muskatnuss

Kaum einer weiß, wie sie wirklich aussieht. Wie eine Nuss ist wohl die nahe liegendsten Vermutung. Leider falsch. Die Muskatnuss sieht mit Schale aus wie eine große Pflaume, in deren Innern ein leuchtend roter Kern sitzt. Dieser wird zum Trocknen in die Sonne gelegt. Nach ca. 2 Monaten wird die Nuss mit einem Hammer aufgebrochen und zu Pulver zerstoßen.

Pfeffer

Wie eine Liane klettert die Pfefferpflanze entlang anderer Baumstämme hoch in die Luft. Der eigentlicher Pfeffer entwickelt sich aus den Blüten bzw. aus den daraus entstehenden kleinen Früchten. Wir kennen unterschiedliche Sorten von Pfeffer – rot, schwarz oder weiß. Aber kaum einer weiß, dass es sich um ein und dieselbe Pflanze handelt. Je nach Behandlung gewinnt man die unterschiedlichen Sorten.

Chilibusch

Es gibt zwei Varianten dieser Schoten, die auch „pili pili" genannt werden. Die Schärfere von beiden wird im Volksmund auch „Pili pili hoho" genannt, weil man zur Abkühlung tief Luft holen muss („ho ho"), wenn man zu viel davon erwischt hat.

Vanille

Wie auch der Pfeffer, benötigt auch diese Pflanze eine Helfer, um nach oben zu wachsen. Die Früchte sehen ähnlich aus wie Bohnen. Nach der Ernte werden sie an der Sonne getrocknet, um sie danach in einem Behälter gären zu lassen. Nach diesem Prozess erhalten sie ihr unvergleichliches intensives Aroma.

ZNZ 20611

Starfrucht

Da bei uns zu Hause diese sternförmige Frucht fast unerschwinglich ist, wird sie in besonders feinen Restaurants auf sparsame Weise nur zu aufwendigen Dekorationen verwendet. Aber was für uns Europäer ein fruchtiger Leckerbissen, ist hierzulande viel zu sauer für den normalen Verzehr und deswegen nur als Gewürz zu gebrauchen. Deswegen wird sie bei den Einheimischen wie eine Zitrone als Säuerungsmittel für die leckeren Currys benutzt.

Sansibarische Kuriositäten

Was die einheimische Damenwelt mit den Früchten des so genannten "Lipstick Tree" anstellt, ist eigentlich nicht schwer zu erraten: Aus Geldmangel werden keine teuren kosmetischen Produkte gekauft, sondern man huscht vor dem Ausgehen, soweit es die Schicklichkeit erlaubt, schnell mal in den Garten für die entsprechende kosmetische Gesichtsbehandlung. Dann gibt es noch den "Toothbrush-Tree". Er liefert Äste, die als Zahnbürste dienen und die Früchte des "Soap-Trees" schäumen in Verbindung mit Wasser auf.

Ein Ausflug in die sansibarische Heilkunde

Nicht wenige Pflanzen Sansibars haben einen doppelten Anwendungsbereich. Auf der einen Seite schmackhaftes Gewürz und auf der anderen Seite wirksames Heilmittel. Falls Sie zu Hause mal unter plötzlichen Zahnschmerzen leiden oder einen überraschenden Grippeanfall haben, sollten sie mal in ihren Gewürzschrank schauen:

Anis: Würzmittel für Süßspeisen und gleichzeitig Medizin gegen Grippe.

Nelken: Zahnärzte gibt es auf Sansibar nicht an jeder Ecke, aber dafür Nelken. Bei Zahnfleischbluten brauchen Sie nur zuzugreifen, denn auf Sansibar werden Nelken erfolgreich zur Blutstillung genutzt.

Muarubaini-Baum: Muarubaini bedeutet auf swahili 40 und dieser Baum wird deswegen so genannt, weil seine Blättern angeblich 40 Krankheiten heilen. So wird beispielsweise aus dem Inhaltsstoff Quinine ein Verhütungsmittel hergestellt oder die getrockneten Blätter werden gekocht, was gegen Bauchschmerzen helfen soll.

Iodin- Baum: Die sansibarischer Version von Hansaplast. Anstatt Pflaster wird die Flüssigkeit der Blätter aufgetragen, so dass dadurch die Blutung gestoppt wird.

Unser Tour-Guide-Tipp für die Spice-Tour: Sama Tours in der Gizenga Street (siehe auch Kapitel A bis Z/Reisebüros).

Im Norden der Insel

Sklavenhöhlen von Mangapwani

Die Straße führt eigentlich nach Bumbwini, aber ca. 5 km vor dem Ort zweigt eine schlechte Piste nach rechts ab. Kurz darauf trifft man auf ein Schild mit der Aufschrift: "Slave Caves".

Nicht weit davon entfernt kann man eine Kalksteinhöhle besichtigen, in deren hinterem Teil sich eine Süßwasserquelle befindet. Die Quelle – heute eine Wasserressource für die Bewohner der Gegend – soll von einem kleinen Jungen auf der Suche nach seinem Schaf entdeckt worden sein. Obwohl die meisten Touren an diesen Ort führen, sollte man wissen, dass man hier noch nicht an den echten Sklavenhöhlen angekommen ist. Angeblich soll auf Wunsch der Regierung dieser Ort so lange eine historisch Stätte bleiben, bis irgendwann einmal eine richtig Straße zu den wirklichen "Slave Caves" gebaut wird.

Vorsicht also! Lassen Sie sich nicht die falschen Höhlen unterjubeln. Das eigentlich historisch bedeutsame Monument befindet sich erst einige Kilometer weiter in Richtung Mangapwani Beach – an dem Strand (pwani) des Arabers (manga). Und zwar auf einer ziemlich unwegsamen Piste. Man braucht schon ein geländegängiges Fahrzeug oder ein Motorrad, um hierher zu kommen. Aber dies ist der wirkliche Platz, an dem die Sklaven noch bis nach dem Verbot des Menschenhandels im Jahre 1873 zu unrecht festgehalten worden sind. Das Land gehörte damals einem arabischen Grundbesitzer. Mohamed bin Nassor Alawi, ein bedeutender Sklavenhändler, ließ diese Kerker erbauen. Er tarnte seine vor Anker liegenden Sklavenschiffe mit harmlosen französischen Flaggen, um ungestört seine menschliche Fracht über den Strand zu entladen. Viele unglückliche Sklaven wurden so trotz des Sklavenverbots weiterhin in diesen Kellern eingesperrt, um auf den Felder zu arbeiten oder auf die arabische Halbinsel verschifft zu werden.

Wir kommt man hin
Per Dalla-Dalla (Linie 2 ab Creek Road).

Die Variante bietet sich nicht wirklich an, denn nach der Endstation muss man noch einige Kilometer hinter sich bringen, bis man sein Ziel erreicht. Eine perfekte und sogar kostenlose Möglichkeit bietet das Serena Inn Hotel, das an diesem Strand ein extrem hübsches Beach-Restaurant betreibt. Morgens um 8.30 und 11.30 Uhr fährt am Serena Inn ein Minibus nicht nur für die hoteleigenen, sondern auch für fremde Gäste zum Ausflug nach Mangapwani. Um 17 Uhr geht es wieder zurück. Eine prima Chance für einen netten Ausflug über die Insel mit Besuch einer historischen Stätte und gleichzeitigem Strandaufenthalt.

Bububu

Bububu ist ein kleiner Ort an der Küste, etwa 5 km von Stone Town entfernt. Malerisch am Wasser gelegen war es unter anderem der Landsitz von Prinzessin Salme von Sansibar und Oman. Früher war hier ein Steinbruch, und die einzige Eisenbahn der Insel fuhr zwischen Stone Town und dem Örtchen zum Steintransport hin und her. Sie hat bei den Einheimischen großen Eindruck hinterlassen, weil sie ein komisches Geräusch machte: Bububu.

Wie kommt man hin

Siehe entsprechendes Kapitel Stone Town!

Wer die Unterkünfte/Restaurants sucht, steigt an der Polizeistation aus und nimmt dort die links abzweigende Straße in Richtung Meer. Nach ca. 300 Metern, kurz vor dem Strand trifft man auf die Hotels (außer Zanzi Fun).

Unterkunft/Restaurants

Salome's Garden

Tel.: 0742-750 557 oder 2230 171,
Fax: 2231 038,
E-Mail: emegre@zansibar.org

Eigentlich das Schönste und Exklusivste, was wir in Stone Town und Umgebung in Sachen Unterkunft gesehen haben. Es wird gesagt, dass in diesem ehemaligen Palast schon Prinzessin Salmelogiert hatte und genau so fühlt sich derjenige, der in den Genuss kommt, hier ein paar Tage zu verweilen. Inmitten eines tropischen, leicht verwilderten, aber äußerst roman-

Märchenhafte Unterkunft: Salome's Garden

tischen Gartens befindet sich ein traumhaftes Haus, das seinesgleichen sucht: Wundervolle Möbel, riesige Räume mit Blick durch die Gärten auf das Meer, mehrere große Veranden, persische Bäder, insgesamt drei Zimmer – eines hübscher als das andere. Mit einem Wort – ein Märchen aus 1001 Nacht. Doppel: US$ 120 (Hochsaison US$ 150), Haus komplett: US$ 450 (Hochsaison US$ 500); inklusive Frühstück

Imani Lodge und Restaurant
Tel.: 0741- 333 731, Fax: 2250 050,
E-Mail: info@imani.it
Ein prima Mittelklasse-Tipp! Wem es in der Stadt zu hektisch ist und wer ab und zu auch mal den Strand genießen möchte, sollte in dieser hübschen kleinen Anlage absteigen. Die Zimmer sind nach europäischem Standard eingerichtet. Aber auch der arabische Touch kommt hier nicht zu kurz, denn ein bezauberndes Restaurant ist der Lodge angeschlossen, in dem nach Sansibari-Kultur auf dicken, gemütlichen Kissen am Boden sitzt und von einer internationalen Küche verwöhnt wird. Doppel: US$ 60 (Hochsaison US$ 80), Single: US$ 40 (Hochsaison US$ 60); inklusive Frühstück

Zanzi Fun Hotel und Restaurant
Tel. u. Fax: 2250 264
E-Mail: zansifun@zanzinet.com
Ca. 5 km von Stone Town entfernt findet man an der Straße links, so sagt man, das Restaurant mit der besten französischen Küche der Stadt. Empfehlenswert!
Das Hotel liegt direkt am Strand. Es gibt sechs Zimmer, die günstiger werden, je länger man bleibt. Das Ambiente ist familiär, und wenn es ums Essen geht, kann man in der Küche über das Menü diskutieren. Chassagne Herue und Alexandra Bocca bemühen sich sehr um ihre Gäste. Jeden Samstag gibt es hier außerdem ein BBQ zum Pauschalpreis von US$ 10–12 mit Huhn, Fisch oder Lamm, und es spielt ein Orchester.

Der Strand: Ein guter Platz, um sich in Stadtnähe am Wasser zu vergnügen. Es gibt Sonnenschirme, Beach-Volleyball, Jetski und Wasserski. Übrigens: Ein Bus-Shuttle bringt Sie umsonst von Stone Town hierher (Abfahrt am Old Fort).
Doppel: US$ 50–70, je nach Saison; inklusive Frühstück

Der Norden

Nungwi

Nungwi ist ein großes Fischerdorf im Norden der Insel und der Strand ist nach den Ostküstenstränden das zweitbeste Badeparadies. Unschlagbar ist die Lage deshalb, weil man sowohl den Sonnenaufgang als auch den Sonnenuntergang auf dem Wasser sieht. Hier werden die traditionellen Holzboote, die Dhauen, in mühsamer Handarbeit am Strand gezimmert. Denn in dieser Gegend wachsen Bäume, deren Holz sich gut für den Bootsbau eignet. Zudem gibt es vereinzelte Seegrasplantagen. Im Ort selbst findet man eine Handvoll Geschäfte und ein paar Bars. Obwohl sich Nungwi fernab von Stone Town befindet, hat sich hier eine Art Freak-Rucksack-Tourismus entwickelt. Abgesehen von der traumhaften Lage am Strand, ist von Ebbe und Flut sehr wenig zu spüren. Das heißt, man kann hier immer baden. Tauchfreunde kommen hier auf ihre Kosten, denn es gibt mehrere Tauchschulen und ein Unmenge von dazugehörigen Tauchrevieren. Obwohl alles so idyllisch scheint, rufen einem die Kinder schon von weitem „piga picha money, money" zu, womit sie ausdrücken möchten, dass sie als Fotomodelle gegen Geld zur Verfügung stehen. Auch die Bootsbauer lassen sich nur für einen Dollar fotografieren.

In letzter Zeit war die Rede von einer großen Tourismusanlage, die ein Millenium-Projekt werden sollte. Doch die Sponsoren haben sich bei näherem hinschauen zum Glück als unseriös herausgestellt und so wird das Dörfchen wohl weiter vor sich hin schlafen.

Wie kommt man hin/zurück

Siehe Kapitel Stone Town!

Achtung Rückreise Nungwi-Stone Town per Dalla-Dalla: Die Rückreise startet am Ortsausgang von Nungwi an der kleinen Kreuzung. Aber erst wenn der Wagen voll ist, geht´s los. Im Guesthouse nachfragen!

Unterkunft

Ras Nungwi Beach Hotel

Tel.: 2232 512 oder 22323 767,
Fax: 2233 098
E-Mail: rasnungwi@zanzibar.net

Über den Klippen des weißen Sandstrand befindet sich diese komfortable

Bootsbau hat in Nungwi Tradition

Anlage im Clubstil. Angeboten werden 35 Chalets diversen Standards sowie 19 Zimmer in einer Lodge, zwei Bars und ein breites Wassersportprogramm (Tauchschule, Windsurfen, Fischen). Das angeschlossene Restaurant ist erste Klasse. Doppel: US$ 90–125 pro Person, Vollpension

Mnarani Beach Cottage

Tel./Fax: 2233 440,
E-Mail: mnarani@cctz.com,
Internet: www.raha.com

In der Nähe des Leuchtturms (swahili: „mnarani") befinden sich diese hübschen Bungalows, die zwar klein, aber trotzdem funktionell und zweckmäßig eingerichtet sind. Leider ist der schmale Strand bei Flut überschwemmt, aber der Besitzer hat seinen Gästen einen privaten künstlichen Strand direkt vor der Haustür aufgeschüttet. Schöne Anlage, aber etwas überteuert. Doppel: US$ 84, Single: US$ 60; inklusive Frühstück

Nungwi Village Beach Resort

Tel.: 0741-606 701,
E-Mail: nungwivillage@hotmail.com,
Internet: www.nungwivillage.com

Direkt am Strand befindet sich diese Unterkunft, bei der man aus drei verschiedenen Kategorien wählen kann. Von außen ganz hübsch ist das Haus vorne am Strand, die Innenräume sind jedoch trotz höchster Kategorie nicht übermäßig komfortabel. Positiv zu bewerten ist das breite Unterhaltungs- und Sportprogramm sowie das ansprechende Restaurant mit Meeresblick.

Doppel: Zwischensaison: US$ 50–70 (modern style), US$ 70–95 (relax style), US$ 80–110 (supreme style). Hochsaison: US$ 70–95 (modern style), US$ 90–120 (relax style), US$ 100–135 (supreme style)

Jambo Brothers & Union Bungalows

Tel.: 0741-326 528

Die beiden einfachen Anlagen, die auf unerklärliche Weise zusammengehören, liegen direkt am Strand. Etwas unkonventionell, aber sympathisch sind zwischen die Bungalows einige Fischerhütten gestreut, in denen tagsüber ein paar Fischer ihre Arbeit verrichten. Weder die meist jungen Gäste, noch die Fischer scheinen sich gegenseitig zu stören. Doppel: US$ 20, Single: US$ 12–15; inkl. Frühstück

Paradise Guesthouse
Tel: 0741-326 574
Beliebter Traveller-Treff! Vor allem junge Leute steigen hier ab, denn sie genießen die Partystimmung, die in der Strandbar herrscht. Die Zimmer in den 10 nebeneinander gereihten kleinen Bungalows sind sehr einfach und sauber, besitzen jedoch kein privates Bad. Leider haben die gemeinsamen Wasch- und Toilettenräume schon etwas gelitten. Doppel: US$ 20 (Zwischensaison), US$ 25 (Hochsaison); inklusive Frühstück. Single: US$ 15 (Zwischensaison), US$ 20 (Hochsaison); inklusive Frühstück

Baraka Guesthouse (kein Telefon)
Nicht direkt am Strand, aber nur ein paar Meter davon entfernt liegt diese Low Budget-Unterkunft, die von einigen Travellern gelobt wird. Die 12 Bungalows sind einfach und zweckmäßig eingerichtet, und verfügen z.T. über ein privates Bad. Das zugehörige Restaurant ist etwas teuer. Doppel: US$ 20–25, Single: US$ 15–20, Triple: US$ 30–35; inkl. Frühstück

Amaan Bungalows
Tel: 0741-327 747
Relativ große Anlage mit Bungalows unterschiedlichen Standards. Man fühlt sich hier wie in einem kleinen multinationalen Dorf, indem es neben einer Tauchschule (deutsche Kurse) auch ein großes, aber hübsch gelegenes Restaurant befindet, in dem ziemlich viel los ist. Ruhesuchende sollten hier nicht absteigen, aber wer Lust hat, Leute kennen zu lernen, ist hier an der richtigen Stelle. Doppel: US$ 25–50, Single: US$ 20–35; inkl. Frühstück

Restaurants/Bars
Fast alle Anlagen besitzen ein angeschlossenes Restaurant, die sich jedoch bezüglich der Preise, der Speisekarte und dem Service kaum unterscheiden. Im Übrigen sind diese Lokale im Vergleich zu den kleinen Restaurants im Dorf sehr teuer. Diese sind zwar schwer zu finden und die Auswahl ist nicht sehr groß, aber man sollte sich auf jeden Fall auf die Suche machen: Es lohnt sich.

Cholo's Bar/Restaurant

Dies ist das einzige Restaurant in Nungwi, das sich von den anderen abhebt. Der sansibarische Besitzer Cholo hat sich mit seinem Openair-Laden wirklich was einfallen lassen: Gegessen wird auf geschnitzten Holztischen, als Lichtquellen dienen romantische Tropfkerzen und die Bar ist aus einer alten Dhau gebastelt – das alles erzeugt eine perfekte Atmosphäre, die man gerne bis lange nach dem Abendessen bei leckeren Cocktails oder ähnlichem genießt.

Übrigens: Cholo plant, einige Bungalows hinter seiner Bar zu konstruieren (voraussichtliche Fertigstellung Ende 2000). Wenn ihm diese so gut gelingen wie die Bar, bekommen die Unterkünfte am Strand von Nungwi eine echte Konkurrenz!

Kendwa

Wenn man die Hauptstraße kurz vor Nungwi linker Hand verlässt, erreicht man nach ca. 3 km Kendwa, ein kleines Dorf, an das ein paar unscheinbare, einfache Bungalowanlagen angegliedert sind. Der Strand ist traumhaft, es gibt kein Seegras, türkisfarbenes Wasser, und trotz Hochsaison kann man die Besucher an zwei Händen abzählen. Nicht geeignet für Leute, die Nightlife und Action suchen. Die sollten sich lieber nach Nungwi aufmachen. Das große Plus von Kendwa (und auch Nungwi): Weniger windig als auf der Ostseite und der Gezeitenwechsel treibt das Wasser nicht so weit weg, so dass das mit dem Baden immer ganz gut klappt. Zu Fuß am Strand entlang benötigt man von Nungwi aus ca. 30 Minuten, um Kendwa zu erreichen.

Kendwa Rocks

Tel.: Buchung über Sama Tours (siehe Kapitel Reisebüros/A bis Z).

Fünf Kilometer südlich von Nungwi erreicht man Kendwa Rocks. Wer den Trubel in Nungwi nicht mag, kann sich hier hin verziehen. Das Plus dieser Anlage ist der schöne Strand. Mittlerweile gibt es hier neben den Bandas und der Möglichkeit des Zeltens auch richtige Bungalows. Wer mit dem Dalla-Dalla ankommt, muss kurz vor Nungwi aussteigen und den Rest bis Kendwa per pedes über die Piste bis ins Dorf laufen. Wählt man die bequemere Variante, wird man von Nungwi aus per

Boot direkt gebracht. Doppel: US$ 40–45, Single: US$ 30–35, Bandas (Strohhütten): US$ 7; inkl. Frühstück

Sunset Guesthouse

Tel.: 2232 359 oder 0741-750 606

Gleich neben dem Kendwa Rocks liegt diese Anlage an einem schönen Strand. Bemerkenswert ist das gute Essen und auch die Bar ist ein gemütlicher Ort, um dort den Abend zu verbringen. Doppel: US$ 15–25; inklusive Frühstück

White Sands (kein Telefon)

Die sehr einfachen Bandas sind in Ordnung, aber was besonderes konnten wir nicht daran finden. Schon besser – um einiges besser – ist das dahinter liegende „Family Restaurant", welches von ein paar einheimischen Rastas betrieben wird. Hier gibt es jeden Abend ein kleines, aber feines Buffet mit Dessert und Tee für Tsh 3500. Doppel: US$ 12; inklusive Frühstück

Was kann man unternehmen

Mnarani National Turtle Aquarium

In der Nähe des Leuchtturms befindet sich eine Pflegestation für Schildkröten. Ein Besuch dort lässt sich leicht mit einem Strandspaziergang verbinden. Einheimische Tierliebhaber haben dort ein Naturschwimmbecken als Zuhause für diverse Arten von Wasserschildkrötenfamilien geschaffen. Wenn der Nachwuchs groß genug ist, wird er ins Meer entlassen.

Eintritt: US$ 1

Dhauwerften

Nungwi ist seit jeher das Zentrum des Bootsbaus auf Sansibar. Wie vor Jahrhunderten schnitzen noch heute am Strand von Nungwi die geschickten Hände der Bootsbauer mächtige Dhaus aus rohen Mangrovenhölzern. Am Konstruktionsprinzip hat sich seit Generationen kaum etwas verändert. Die Fugen zwischen den Planken werden noch immer mit in Kokosöl getränkter Baumwolle abgedichtet. Nur dass heutzutage Schrauben und Nägel zum Einsatz kommen, zeugt vom Fortschritt der Technik. Zusehen ist kein Problem, aber wer fotografieren möchte, sollte zuerst um Erlaubnis fragen und wird zur Kasse gebeten.

Tauchen/Tauchschulen

Dive Zanzibar Ltd.

Tel.: 0747-410 535 oder 0811-326 574, E-Mail: divezanzibar@yahoo.com, Internet: www.divezanzibar.com

Im Paradise Beach Club befindet sich diese Padi-Tauchschule, deren Crew die verschiedensten Tauchausflüge und -kurse anbietet. Vor allem der südafrikanische Besitzer Ben weiß, wie er mit seinen Gästen umgehen muss. Nämlich ausgesprochen freundlich, kompetent und sorgfältig. Empfehlenswert!

Wer sein eigenes Material mitbringt, bekommt 10 % Ermäßigung. Die Buchungen kann man direkt vor Ort tätigen oder schon im Voraus im Stadtbüro bei Marlin Tours (siehe Kapitel Reisebüros/A bis Z).

East Afrikan Divers

Tel.: 0741-327 453, Fax: 0811- 327 747

Bei den Amaan Bungalows finden Sie die zweite Möglichkeit, Ihrem Tauchvergnügen nachzugehen. Das Plus dieses Tauchcenters: Es wird deutsch gesprochen. Ansonsten besteht hier ein ähnliches Angebot wie in der benachbarten Schule. Auch die Preise nehmen sich nichts.

Tauchspots

Hunga/Nankiville/Shayne Reef

Das sind die so genannten “Hausriffe”, die meist angefahren werden. Sowohl mit Fortgeschrittenen, als auch mit Anfängern und Schnorchlern.

Preisbeispiele (inkl. Ausrüstung) bei Dive Zanzibar Ltd.:

Discover Scuba Diving (zum Ausprobieren für Anfänger)	US$ 60
2 Tage Einsteigerkurs	US$ 200
4 Tage Einsteigerkurs mit Tauchschein	US$ 350
Tauchpakete:	
3 Tauchgänge	US$ 95
6 Tauchgänge	US$ 165
Schnorcheltrips zum nahe gelegenen Riff	US$ 15
Schnorcheltrip zum Mnemba Atoll	US$ 35

Mnemba Atoll

Das Tauch-Highlight des Nordens. Von Nungwi aus ist es ca. 1 Stunde per Boot, bis das Atoll auftaucht. Rings um die Insel gibt es verschiedene Spots, die von 20 bis zu 60 Meter tief sind. Das kleine Eiland ist in Privatbesitz und darf deswegen nicht von „ Hinz und Kunz" betreten werden; Tauchgänge rund um die Insel sind jedoch erlaubt und die werden natürlich von den Tauchschulen durchgeführt.

Leven Bank

Die Leven Bank befindet sich mitten im Pemba Channel und wird nur selten von den Tauchschulen angefahren. Der Grund ist einfach: Diese Gegend ist sehr gefährlich aufgrund der extremen Strömung und der großen Tauchtiefen. Hier sind die besten und erfahrensten Taucher gefragt.

Die Nordostküste

In dieser Gegend sind vor allem die besseren großen Hotelanlagen zu finden, wobei das nicht heißt, dass sich große Touristentrauben in den Dörfern bewegen. Diese Gäste bleiben am liebsten im Club. Traveller zieht es in diese primär nicht hin. Nur vereinzelt, z.B. in Kiwengwa (Reef Bungalows) oder Matemwe, fühlt man sich als Low Budget-Tourist gut aufgehoben.

Matemwe/Pwani Mchangani

Matemwe hat ca. 700 Einwohner, die verstreut über eine recht große Fläche (etwa 26 km^2) wohnen. Es gibt eine Schule mit 1633 Kindern und eine kleine Krankenstation, in der eine Schwester nach dem Rechten schaut.

In Pwani Mchangani geht es nicht viel anders zu als in Matemwe. „Meeressand" bedeutet der Name des Dorfes übersetzt auf swahili, und den gibt es zur Genüge in der schönsten Ausführung an den Stränden rund um das kleine Dorf. Es besteht aus 6 kleineren Einheiten mit insgesamt 3000 Einwohnern. Die Besonderheit ist eine Frauenkooperative, die den Frauen des Dorfes zu einem eigenen Einkommen verhilft. Keine Selbstverständlichkeit in der moslemischen Kultur. Begonnen haben sie mit der Produktion von Seife und mittlerweile gibt es kleine, private Gästezimmer, bei denen Touristen am einheimischen Leben teilhaben können. Und zwar

mit sehr wenigen anderen Touristen zusammen. Andere Frauen kochen täglich günstige Mahlzeiten oder betreiben einen kleinen Laden. Man hofft auf diese Weise auch ein wenig vom Tourismus zu profitieren.
Der Strand wird vom vorgelagerten Riff geschützt. Die Gezeiten sind, wie überall an der Ostküste, sehr stark spürbar. Da auf dem Korallengrund nur bestimmte Pflanzen wachsen, lebt nur ein Teil der Bevölkerung von der Landwirtschaft, der Rest geht fischen und die Frauen kultivieren Seegras.

Wie kommt man hin/zurück
Taxi, Minibus oder Dalla-Dalla: Siehe entsprechendes Kapitel Stone Town.

Autoverleih
Es gibt keine offizielle Vermietung, aber auf Wunsch können Fahrzeuge durch die Hotels arrangiert werden.

Fahrradverleih
Fahrräder können in Matemwe bei ***Matemwe Bungalows*** für ca. US$ 15 pro Tag gemietet werden. Ansonsten in den Hotels anfragen.

Unterkunft
Matemwe Bungalows
Tel.: 2236 535, Fax: 2236 536,
E-Mail: matemweznz@twiga.com
Mega idyllisch an einem traumhaften Sandstrand gelegen, befinden sich die 16 solargespeisten Bandas einer deutsch-österreichisch-schwedischen Eigentümergemeinschaft. „Unsere Gäste sind sehr häufig „Honeymooners", erklärt uns die deutsche Managerin Kay. Wir fanden es so umwerfend dort, dass wir uns schon fast auch zu einer Heirat entschlossen hätten, nur um in den Genuss dieses traumhaften Aufenthalts zu kommen. Wer sich mal wirklich etwas außergewöhnliches gönnen möchte, ist hier an der richtigen Stelle. Alle Bungalows sind wunderbar eingerichtet und besitzen eine eigene riesige Terrasse, die den Blick auf den türkisblauen Ozean freigibt. Das Paradies lässt grüßen! Weitere Angebote: Tauchen, Schnorcheln, Fahrradverleih. Kreditkarten werden ohne Aufpreis akzeptiert! Kat. 1: US$ 85 pro Person/ Vollpension, Kat. 2: US$ 125 pro Person/ Vollpension, Kat. 3: US$ 150 pro Person/ Vollpension

Bei der Seegrasernte

Holiday Guesthouse Matembwe
Tel.: 0741-62 23 91
Größeres, etwas heruntergekommenes Haus für max. 4 Personen, mit Küche/ Bad. Zur Zeit unserer Recherche hat es einen recht einsamen und verlassenen Eindruck gemacht. Doppel: US$ 25, Single: US$ 20; inkl. Frühstück

Matembwe Beach Village
Tel.: 2239 340, E-Mail: matembwebeachvillage@zitec.org
Die Bungalowanlage ist ganz hübsch, aber auch nicht spektakulär. Von den Zimmern aus gibt es leider keinen direkten Meerblick, da – weiß der Himmel warum – zwischen Strand und Bungalows ein kleine Mauer aus Sand aufgeschüttet ist. Die Zimmer an sich sind in Ordnung. An die Anlage ist ein recht hübsches Restaurant angeschlossen. Doppel: US$ 25, Single: US$ 20; inklusive Frühstück

Große Ferienanlagen
Zwischen Matemwe und Kiwengwa findet man neben den oben genannten Unterkünften ansonsten ausschließlich große Hotelresorts, die alle nach einem typisch westlichen Clubanlagen-Stil

konzipiert sind. Diese Unterkünfte arbeiten hauptsächlich mit großen, vor allem italienischen, englischen und skandinavischen Reiseveranstaltern zusammen und werden sehr selten direkt gebucht. An Ausstattung gibt es hier natürlich alles, was ein Hotel dieser Preisklasse bieten sollte: Swimmingpool, Sonnenterrassen, mehrere Restaurants, komfortable Zimmer, Wassersport- und Tauchmöglichkeiten. Der größte Pluspunkt allerdings, der ihnen gemeinsam ist, ist der herrlich weiße Sandstrand. Ansonsten unterscheiden sie sich nicht wesentlich voneinander. Dennoch sind sie im Folgenden kurz mit ihren Pluspunkten aufgelistet:

Blue Bay Beach Resort
(Kiwengwa)
Tel.: 0741-338 170,
E-Mail: bluebay@twiga.com
Schöne, weitläufige Anlage, für Sportbegeisterte gibt es ein Dive-Center und einen Fitnessraum, orientalisches Ambiente in der Hotelhalle.

Am Strand von Jambiani

Coral Reef Beach Resort
(Pwani Mchangani)
Tel.: 0741-233 558,
Internet: www.logical.it/zanzibar
Dies ist ein hervorragender Ort, um in der Nebensaison an einem wunderbaren Strand seine Zeit zu verbringen, denn: Man kann je nach Buchungssituation gut mit der italienischen Managerin handeln und so günstig in einem luxuriösen Bungalow in arabischem Stil direkt am Meer logieren. Auch das Essen ist vom Preis extrem fair und sehr lecker. Doppel: US$ 50, US$ 60 für Halbpension; inklusive Frühstück

Kiwengwa Club Village
(Kiwengwa)
Tel.: 0741-326 205, Fax: 2325 304

Bravo Club (Kiwengwa)
Tel./Fax: 0741-339 961

Vera Club (Kiwengwa)
Tel.: 0741-320 987

Karibu Village
(Kiwengwa)
Tel.:0741-325 092

Mapenzi Beach Village
(Pwani Mchangani)
Tel.: 0741-325 985

Kiwengwa

Das einzige, was dieses Dorf von anderen an der Ostküste unterscheidet, ist seine Teilung. Die drei Ortsteile liegen idyllisch auf einigen Kilometern verstreut am Strand. Wie fast überall arbeiten die Einwohner als Fischer, gelegentlich auch als Farmer und in letzter Zeit sind sehr viele in den großen Urlaubsresorts als Kellner oder Zimmermädchen beschäftigt. Es gibt ein paar kleinere Läden, in denen das Nötigste zum Verkauf angeboten wird sowie eine Grund- und eine Hauptschule. Aber das war´s dann auch schon.

Wie kommt man hin/zurück

Taxi/Minibus: Siehe entsprechendes Kapitel Stone Town

Dalla-Dalla: Die Linie 17 fährt von der Creek Road in Stone Town nach Kiwengwa. Aber nur bis ins Dorf. Wer weiter zu den verschiedenen Unterkünften möchte, muss mit dem Fahrer über eine Weiterfahrt verhandeln (gegen ein geringes Entgeld).

Unterkunft

The Shooting Star Inn

Tel.: 0741-335 835 od. 0741-334 152, E-Mail: booking@shootingstar-zanzibar.com Internet: www.shootingstar-zanzibar.com

Das idyllisch gelegene Hotel besitzt einige Bungalows mit unterschiedlichem Standard. Man wird es kaum glauben, aber uns haben die günstigen Bandas am besten gefallen. Sie bestechen durch ihre herrlich exponierte Lage direkt über dem Strand. Allerdings sind sie sehr einfach eingerichtet. Wer mehr Komfort erwartet, muss die relativ teuren Bungalows bewohnen, um auf seine Kosten zu kommen. Neben den Bandas bekommt die gemütliche Bar und das Restaurant ein weiteres Plus. Doppel: US$ 90–110, Single: US$ 65–75, Bandas: US$ 15 pro Person; inklusive Frühstück

Reef View

Tel.: 0747-413 295, E-Mail: reefvievzanzibar@hotmail.com, Internet: www.reefview.com

Unser Low Buget-Tipp für die Nordostküste! Kurz nach dem Dorf in südlicher Richtung befindet sich diese gemütliche Unterkunft im Robinson-Stil. Die einfachen Makuti Bandas (reetgedeckte Strohhütten) liegen idyllisch verstreut direkt am Strand.

Haroub, der Besitzer, sorgt bestens für seine Gäste: Leckeres, günstiges Essen, sehr freundlicher Service, Buchladen, gemütliche Atmosphäre, und das alles zu einem sehr günstigen Preis. Vorausbuchung empfehlenswert, da die Anlage oft voll besetzt ist. Zwischensaison: US$ 10 pro Person, Hauptsai son: US$ 15 pro Person; inkl. Frühstück

Pongwe

Ein anderes kleines Dorf an der Ostküste. Wenn man von Norden kommt, endet hier die ungemütliche Piste und wird zur geteerten Straße bis nach Stone Town. Der Strand südlich von Pongwe ist wirklich unschlagbar. Es gibt weit und breit keine Seeigel, und sogar bei Ebbe kann man relativ gut schwimmen.

Wie kommt man hin/zurück

Taxi/Minibus: Siehe entsprechendes Kapitel Stone Town.

Dalla-Dalla: Hier gibt es nur die Möglichkeit, mit der Linie 17 bis nach Kiwengwa zu fahren. Danach muss man mit dem Fahrer in Verhandlungen treten, damit es Sie bis nach Pongwe bringt. Gerne wird er sich nicht überreden lassen, denn die Straße wird ab Kiwengwa sehr schlecht. Ansonsten kann man sich nach telefonischer Verabredung von seiner Unterkunft abholen lassen.

Pogwe Beach Resort & Dive Center

Tel.: 0747-413 974

Sehr zu empfehlen ist diese im Sommer 2000 eröffnete Anlage am wunderbaren Strand von Pongwe. Zur Verfügung stehen 10 hübsche Bungalows in zwei Kategorien. Sportprogramm: Wasserski, Wakeboarding und eine Tauchschule, die neben Material auch Kurse anbietet (geplant sind zusätzlich 4 Katamarane).

Doppel: US$ 50–70 (kleine Bungalows), US$ 90–120 (größere Bungalows); inklusive Frühstück

Wie kommt man hin/zurück

Taxi/Minibus: Siehe entsprechendes Kapitel Stone Town.

Unterkunft

Zanzibar Safari Resort

Tel.: 2238 553, E-Mail: albeila@africaonline.co.tz,
Internet:www.ferien.li/zanzibar-safari-club

Das Beste dieser Anlage ist der wunderbare Garten. Darin verstreut liegen die 20 komfortabel ausgestatteten Bungalows, deren Zimmer außerordentlich sauber sind. Diniert wird in einem schönen Restaurant direkt am Strand. Diese Unterkunft steht bei einem Preisvergleich mit ihren Konkurrenten weit vorn. Zwischensaison: US$ 63–82 pro Person/inkl. Halbpension. Hochsaison: US$ 82–119 pro Person/inkl. Halbpension

Tamarind Hotel

Tel.: 0747-413 709,
E-Mail: tamarind@zanzinet.com,
Internet: tamarind.nu

Die 14 Bungalows dieser Unterkunft sehen von außen ganz hübsch aus, aber leider wird man von der Innenausstattung enttäuscht. Zwar besitzt jedes Zimmer ein eigenes Bad mit heißem Wasser, aber richtig gemütlich fanden wir es nicht. Doppel: US$ 66, Single: US$ 53; inklusive Frühstück

White Villa
Tel./Fax: 0741-326 874
Die kleine Anlage einer deutsch-sansibarischen Familie besteht aus einem Haupthaus und zwei Bungalows. Die Atmosphäre ist sehr familiär. Da eh schon drei Kinder auf der Anlage unterwegs sind, bietet sich diese Unterkunft speziell für Familien an.
Preise auf Anfrage.

Chwaka

Zu Kolonialzeiten war der Ort ein beliebtes Feriendomizil für reiche Sansibari, aber heutzutage ist davon fast nichts mehr zu sehen. Selten verweilt ein Besucher länger als eine Nacht, denn weder der Strand, noch das Dorf hat etwas Bedeutendes zu bieten. Chwaka ist heute kein idyllisches Fischerdorf, sondern ein 2000-Einwohner-Ort in Hüttenform. Alte Sommerresidenzen, neuer Beton und simpelste Lehmkonstruktionen.

Wer an den südlichen Teil der Ostküste (nach Michamvi/Pingwe) von hier aus gelangen möchte, ohne den großen Umweg um die Bucht zu machen, kann hier nach dem Markt gegen Nachmittag einen Fischer für die Überfahrt engagieren (die andere Richtung ist nur morgens möglich). Fahrtdauer: ca. 2 Std., Kosten pro Boot: ca. Tsh 10.000

Wie kommt man hin

Taxi, Minibus oder Dalla-Dalla: Siehe entsprechendes Kapitel Stone Town.

Unterkunft

Chwaka Bay Beach Hotel
Tel.: Kontakt über Yakob Karim, co/Tembo Hotel, Tel.: 2232 069,
Fax: 2233 777
Diese Unterkunft hat einen Kilometer Strand für ein Handvoll Gäste. Die runden Steinhäuser sind auf einer leichten Anhöhe gruppiert. Von dort aus hat man einen wunderbaren Blick über die Bucht und die gegenüberliegende Halbinsel. Doppel: US$ 40, Single: US$ 25; inklusive Frühstück

Die einzige Low Budget-Unterkunft können wir nicht empfehlen.

Was kann man an der Nordostküste unternehmen

Alle Ausflüge, die auch in Stone Town angeboten werden (siehe Kapitel Sehenswürdigkeiten) kann man auch hier buchen. Außerdem steht vor allem Sport auf dem Unterhaltungsprogramm der Ostküste. Die großen Hotel bieten dazu ein breit gefächertes Angebot an: Windsurfen (jedoch relativ altes Material), Volleyball, Fahrradverleih, Aerobic und anderes.

Tauchen/Tauchschulen

Eine unabhängige Schule gibt es im nördlichen Teil der Ostküste nicht. Im Sportprogramm folgender großen Hotelresorts wird auch Tauchen angeboten:

Pongwe:
Pongwe Beach & Dive Resort
Pwani Mchangani:
Blue Bay Beach Resort;
Mapenzi Beach Village;
Karibu Village
Matembwe:
Matembwe Beach Village;
Matembwe Bungalows
Kiwengwa:
Kiwngwa Club Village

Die Südostküste

Paje

Paje ist ein kleines Fischerdorf, das an einer Wegkreuzung liegt. Aus Stone Town kommend, gabelt sich die Straße nach Jambiani oder Bwejuu. Hier gibt es einen traumhaften Strand, ein paar Hotels und ein palastartiges Haus, das dem „Rich Man", einem der reichsten Sansibari gehört.

Wie kommt man hin/zurück

Siehe gleiches Kapitel bei Jambiani.

Fahrzeugverleih

Alle möglichen Gefährte, sei es Fahrrad, Motorrad, Vespa oder Auto, bekommt man am einfachsten bei Boris im Hotel Bizarre.
Die Preise (pro Tag):
Auto: US$ 40–60, Motorrad: US$ 25, Vespa: US$ 20, Fahrrad: Tsh 6000

Unterkunft

Erfreulicherweise kann man fast alle Unterkünfte in Paje ohne Zögern empfehlen. Jede Anlage hat eine kleine Besonderheit, so dass für jeden Geschmack etwas dabei ist.

Hotel Bizarre
Tel.: 0741-21 19 81,
E-Mail: hotelpbn@yahoo.com
Diese etwas größere, typische „Traveller-Bungalow-Unterkunft“, auch bekannt unter dem Namen „Paje by Night“, besticht durch seine Gemütlichkeit. Es gibt eine richtige Kneipe mit der besten Musik in Tansania! und Cocktails und Bier (was ähnliches ist nicht leicht zu finden auf Sansibar). Abends wird im Freien bei Kerzenlicht gemeinsam gegessen und der deutsche Manager Boris und seine Freundin Maike stehen bei jeglichen Problemen mit Rat und Tat hilfreich zur Seite. Einige der 19 Zimmer sind neu renoviert und besitzen ein eigenes Bad und heißes Wasser. Doppel: US$ 30–40, Single: US$ 20–25; inklusive Frühstück

Kinazi Upepo Village Hotel
co/Hotel Bizarre, Tel.: 0741-21 19 81
Diese weitläufige Bungalowanlage mit dem übersetzten Namen „im Palmenwind“ wird von einem Sansibari, der in London Kunst studiert hat und fließend englisch spricht, im landestypischen Stil geführt. Die 6 rund gebauten, großzügige Zimmer (alle mit eigenem Bad) profitieren eindeutig von dem künstlerischen Geschick des Besitzers. Sie liegen verstreut in einem Palmenwald und sind mit Liebe und nach sansibarischem Geschmack ausgestattet. Wer Beschaulichkeit, individuelle und charmante Betreuung sucht, der ist hier richtig aufgehoben. Doppel: US$ 35–40, Single: US$ 30; inklusive Frühstück

Kitete Guesthouse
Tel.: 2240 226,
E-Mail: kastnerjl@hotmail.com
In diesem schwedisch geführten Haus geht es sehr familiär zu. Lisbeth Kastner und ihr Mann haben das Haus komplett neu renoviert und dementsprechend sehen auch die 6 Zimmer aus: Zwar einfach, aber sehr sauber und alle mit eigenem Bad. Doppel: US$ 30, Single: nach Vereinbarung; inklusive Frühstück

Paje Ndame Village
Tel.: 2240 179
Diese größere Anlage am wunderbaren Strand von Paje ist nicht schlecht, aber das Innenleben der Zimmer (trotz eigenem Bad) könnte man schöner gestalten. Das Restaurant dagegen ist von

diversen Besuchern gelobt worden. Doppel: US$ 25, Single: US$ 15; inklusive Frühstück

Restaurants

New Ocean Restaurant

Das einzige einheimische Restaurant im Dorf. Es gibt sansibarische und eine kleine internationale Küche. Die Preise sind relativ günstig, aber unter Umständen muss man eine längere Wartezeit in Kauf nehmen.

Restaurant/Hotel Bizarre

Sehr empfehlen können wir die Küche bei Boris. Mittagessen wird „à la carte" serviert und zum Abendessen gibt es ein Menü, das täglich wechselt. Gegessen wird gemeinsam mit anderen Gästen an einer größeren Tafel. Dies erzeugt eine gemütliche Atmosphäre, in der man sich rundum wohl fühlen kann.

Große Urlaubsresorts an der Ostküste

In dieser Gegend gibt es mehrere Resorts, die im Club-Stil geführt werden. Hier einige im Detail:

Karafuu Hotel

Tel.: 0741-32 51 57 oder 32 77 14/5/6, Fax: 0741-32 56 70
E-Mail: karafuu-hotel@twiga.com

Die Bungalows dieses großen Clubresorts (92 Zimmer mit geräumigem Luxusbad!) in der Nähe von Bwejuu liegen in einem wunderbar angelegten Garten. Es gibt neben mehreren Restaurants auch einen zentralen Pool und jede Menge anderer Annehmlichkeiten. Im Vergleich zum benachbarten „Breezes" schneidet diese Anlage nach unserem Geschmack besser ab. Doppel: US$ 85–150 pro Person; inklusive Halbpension. Single: US$ 105–180 pro Person; inklusive Halbpension

Breezes Beach Club

Tel.: 0741-32 65 95, Fax: 0741-33 31 51
E-Mail: breezes@africaonline.co.tz

Ein weiteres großes Resort ist das Breezes, neben dem Serena Inn das zweite 5-Sterne-Haus auf Sansibar. Es wird eigentlich alles angeboten, was das Herz eines Urlaubers begehrt: Pool, mehrere Restaurants (unter anderem auch ein besonders hübsches „à la carte"-Restaurant) und jede Menge

Strand von den Paradise Beach Bungalows

Sportmöglichkeiten: Tauchen, Segeln, Windsurfen (nicht das allerneueste Material), Fitness-Studio, Aerobic-Kurse, Tennisplatz, Basketballplatz. Doppel: US$ 65–137 pro Person; inklusive Halbpension. Single: US$ 73–147 pro Person; inklusive Halbpension

Tauchen/Tauchschulen

Die Möglichkeit, Tauchkurse zu buchen, besteht an der Ostküste vor allem in den großen Ferienresorts Breezes Beach Club und Karafuu Hotel. Ansonsten gibt es hier nur eine unabhängige Tauchschule:

Paje East Coast Diving

Tel.: 2232 975 oder 0741-607 436, Fax: 2232 673,
E-Mail: pajediving@zanzinet.com
Erfahrene Taucher können hier Material ausleihen, das in sehr gutem Zustand ist. Anfängerkurse gibt es jedoch keine (zumindest nicht zur Zeit unserer Recherche). Die Preise sind vergleichbar mit anderen Tauchschulen auf der Insel.

Bwejuu

Nördlich von Paje befindet sich dieses kleine Straßendorf, das sich entlang dem hübschen Strand schlängelt. Da die Unterkünfte vor allem unteres bis mittleres Niveau sind, halten sich hier hauptsächlich Traveller auf.

Wie kommt man hin/zurück

Siehe entsprechendes Kapitel bei Jambiani.

Unterkunft

Andi`s Karibuni

Kontakt in Deutschland: Susi Nusser, Tel.: 06134-41 31

Wer familiär und ruhig seine Ferien verbringen möchte, der ist an diesem paradiesisch schönen Platz direkt am Strand gut aufgehoben. Die deutsche Besitzerin Andrea hat mit viel Liebe und Geduld eine wunderschöne kleine Bungalowanlage aufgebaut. Aber nicht nur die Anlage ist zu empfehlen, sondern auch die Küche, denn die „Chefin" selbst bekocht ihre Gäste (je nach Wunsch italienisch, sansibarisch oder sogar ungarisch). Scheuen Sie nicht die etwas komplizierte Anfahrt. Doppel/Singel: U$ 20 pro Person (Verhandlungsbasis!)

Sunrise Hotel

Tel./Fax: 0741-32 02 0 oder 22 40 170
E-Mail: sunrise@cats-net.com

Das Sunrise ist ein nettes Mittelklasse-Hotel in einem gepflegten Garten gelegen, das jetzt sogar mit einem kleinen Pool aufwarten kann (geeignet für Familien mit Kindern!). Alle Zimmer besitzen ein eigenes Bad (heißes Wasser) und sind sehr sauber. Man kann sich hier wohl fühlen, aber der Preis ist unserer Meinung relativ hoch.
Doppel: US$ 65–80, Single: US$ 55–70; inklusive Frühstück

Belle View Bungalows

co. Kilimani Kwetu Bungalows,
Tel.: 2240 234/5, E-Mail:
kilimani-kwetu@01019freenet.de

Die Zimmer dieser Minianlage sind zwar sehr einfach, aber die ruhige Lage auf der Anhöhe und die Aussicht sind prima! Diese Unterkunft schneidet von den Low Budget-Anlagen in der Nachbarschaft sehr gut ab. Doppel: US$ 20, Single: US$ 15; inklusive Frühstück

Kilimani Kwetu Bungalows

Tel.: 2240 234/5, E-Mail:
kilimani-kwetu@01019freenet.de

Kontakt in Deutschland: 0221/55 03 105
Unser Low Budget-Tipp für Bwejuu! Etwas zurückversetzt vom Strand, aber nicht weniger hübsch, liegen diese beiden kleinen Bungalows idyllisch auf einer Anhöhe. Die Aussicht ist hervorragend! Auffallend ist auch das freundliche und kompetente Personal dieser einfachen, aber sehr sauberen und gemütlichen Anlage. Prima Preis-Leistungsverhältnis! Doppel: 20–25 US$, Single: 15–20 US$; inkl. Frühstück

Palm Beach Inn
Tel.: 2240 221 oder 0741-33 85 53
15 Zimmer (alle mit neu renovierten Bädern, zum Teil mit Aircondition) umfasst diese Mittelklasse-Anlage direkt am Strand von Bwejuu. Das Restaurant hat uns gut gefallen.
Doppel: US$ 50, Single: US$ 30; inklusive Frühstück

Dere Bungalows
Tel.: 22 40 197
Typischer Low Buget-Treffpunkt, der früher bestimmt bessere Zeiten gesehen hat. Die etwas schmuddeligen Zimmer sind in 3 großen Häusern unterbracht, die nicht wirklich an diesen idyllischen Platz passen. Im Ort gibt es besseres! Doppel: US$ 20, Single: US$ 10; inklusive Frühstück

Seven Sea Bungalows
Kein Telefon
Zwischen Paje und Bwejuu gelegen befindet sich diese Unterkunft. Das große Plus ist die ruhige und idyllische Lage und das einfache, aber hübsche Restaurant (niedrige Preise). Die Zimmer sind ordentlich und sauber.
Doppel: US$ 30, Single: US$ 20; inklusive Frühstück

Paradise Beach Bungalows
Tel.: 22231 387,
E-Mail: saori@cats-net.com
oder adolfint@ud.co.tz
Die Anlage verdient ihren Namen, denn die Lage ist wirklich paradiesisch. Die Bungalows sind nicht nur von außen hübsch anzusehen, sondern auch innen in einfachem sansibarischen Stil ordentlich und sauber eingerichtet. Wer Ruhe sucht, liegt hier richtig. Doppel: US$ 35, Single: US$ 25; inklusive Frühstück

Rubrik „Augen zu und durch“
Das einzige Plus der folgenden Anlagen ist ihre Lage direkt am Strand. Die Zimmer kann man allerdings (obwohl oft anders berichtet) „in der Pfeife rauchen“! Die Preise liegen bei allen bei US$ 10 pro Person (keine der Anlagen besitzt ein Telefon).
Original Twisted Palms
Mvintje Bungalows
Twisted Palm Bungalows

Jambiani

Jambiani ist ein bezauberndes Dörfchen an der Ostküste Sansibars. Es hat keinen eigentlichen Dorfkern, sondern ist eher eine weiträumige Ansammlung lose verstreuter Strohhäuschen, die vom Landesinneren bis zum strahlend weißen Strand reichen. Es hat etwa 4000 Einwohner, eine Schule und eine Krankenstation. Die Schule mit ca. 700 bis 800 Kindern geht hier bis Form 2, also bis zum Ende der Schulpflicht. Die Post besteht aus 25 kleinen roten Boxen und ist in einen kleinen Shop integriert. Sie wird von Mussa betreut, der – sollte jemand Post bekommen haben – die Nachricht überbringt, dass derjenige demnächst mal vorbeikommen müsse, um das Postfach zu leeren. Alles ist hier sehr verschlafen. Die Männer sind hauptsächlich Fischer und die Frauen leben zu 95 Prozent vom Verkauf des Seegrases. Der Rest der Einkünfte wird aus dem wachsenden Tourismus gewonnen. Landwirtschaft gibt es eigentlich nur für den eigenen Bedarf, da der Korallenboden hier sehr unfruchtbar ist.

Wie kommt man hin/rum/zurück

Stone Town-Paje/Jambiani
Taxi: Tsh 20.000, Fahrtdauer: ca. 1,5 Std.
Minibus: Tsh 3000, Fahrtdauer: ca.1,5 Stunden, Abfahrt: morgens gegen 8 Uhr.

Dalla-Dalla: Siehe entsprechendes Kapitel Stone Town.

Wer an der Creek Road nicht warten will, muss mit der M-Linie nach Magomeni und am Kreisel/gegenüber den Tankstellen „unterm großen Baum“ warten, bis die Linie 9 vorbeikommt (ca. Tsh 500), Fahrtdauer: 2–3 Stunden, letzte Fahrt um 15.30 Uhr.

Rückkehr vom Fischen

Trampen: Wer Zeit und Geduld hat, kann's von Magomeni aus mit dem Daumen versuchen.

Jambiani Paje-Stone Town

Taxi, Minibus: Siehe Hinfahrt.

Dalla-Dalla: Abfahrt früh morgens gegen 3.30 Uhr und 5.00 Uhr, danach immer nach Bedarf (genaue Abfahrtszeit im Guesthouse nachfragen).

Autoverleih

Es gibt keinen offiziellen Verleih. Aber es gibt einige Privatleute im Dorf, die ihr Gefährt (mit oder ohne Fahrer) vermieten. So zum Beispiel Chamda. Sein Pick-Up kostet pro Tag ca. Tsh 20.000–25.000.

Ihr Guesthouse/Hotel kann Ihnen bestimmt weiterhelfen.

Motorradverleih

Ein Openair-„Verleih-Office“ gibt es vor dem Blue Oyster Hotel: Dort können Sie Motorräder (Honda 250 ccm) zum Preis von etwa US$ 25 pro Tag mieten. Auch hier gibt es Privatleute, die ihr „piki-piki“ (swahili für Motorrad) unter Umständen zu einem günstigeren Preis verleihen. Ansonsten: Im Hotel nachfragen!

Mountainbikeverleih
Bei „Mussa“ auf der Post! bekommt man die Bikes zum Preis von Tsh 4000/Tag.

Unterkunft
Jambiani Beach Hotel
Tel.: 2240 155,
E-Mail: r_bender@gmx.net ,
Internet: crosswinds.net/jambianibeach
Hier machen Besucher mit schmalem Geldbeutel Station. Die Zimmer sind noch „im grünen Bereich“ und der große Palmengarten macht Einiges wett. Außerdem bietet hier der deutsche Manager Ronnie Bender, der im Übrigen sehr freundlich und hilfsbereit ist, die einzige Möglichkeit, um im Internet zu surfen. Doppel: US$ 20–25 (eigenes Bad), inkl. Frühstück

Jambiani Visitors Inn
Tel.: 0741-33 39 64
Von außen wirkt diese Bungalowanlage direkt am Strand ganz hübsch. Leider macht die Ausstattung der Zimmer auf uns einen eher lieblosen Eindruck, trotz Bad und heißem Wasser. Die Bungalows am hinteren Ende sind eher zu empfehlen.
Doppel: US$ 25 (mit Gemeinschaftsbad), US$ 40 (mit eigenem Bad)
Single: US$ 13 bzw. US$ 25; inklusive Frühstück

Sau Inn Hotel
Tel./Fax: 0741-337440,
E-Mail: sau-inn@cats-net.com
Schöne Anlage gehobenen Standards inmitten einer hübschen Gartenanlage. Die Zimmer sind in kleinen, einzeln stehenden Bungalows untergebracht und komfortabel ausgestattet. Alle besitzen ein separates Bad/heißes Wasser.
Doppel: US$ 70, Single: US$ 60; inklusive Frühstück

Blue Oyster Hotel
Tel./Fax: 2240 163 oder
0747-41 29 07
E-Mail: newoyster@gmx.net
Kontakt Deutschland:
Annegret Frewert,
Tel.: 08250/ 92 84 32
Unser großer Favorit in Sachen Relaxen und Wohlfühlen! Klaus Martin Beiser, der deutsche Besitzer, und sein Manager Bilali haben am Strand vom Jambiani ein kleines Paradies geschaffen. Das herrlich gelege-

ne Hotel (10 Zimmer) besticht in vielerlei Hinsicht: Perfekter Service, prima Küche, einfache, aber geschmackvoll eingerichtete Zimmer/heißes Wasser – und es gibt richtigen Filterkaffee!

Glücklicherweise ist eine Erweiterung (6 Bungalows) geplant, so dass nicht nur 10 Leute in den Genuss dieses Aufenthalts kommen können. Was das Preis-Leistungsverhältnis angeht, war es das Beste, was uns im Bereich Unterkunft an der Ostküste begegnet ist!

Doppel: US$ 40, Single US$ 30, extra Bett US$ 15 (mit privatem Bad)

Doppel: US$ 30, Single: US$ 20, extra Bett US$ 10 (mit Gemeinschaftsbad), inklusive Frühstück

Coco Beach Bungalows

Tel./Fax: 0741-32 49 94,

E-Mail: zenithznz@net.com

Sehr gut gefallen haben uns diese neu erbauten kleinen Bungalows direkt am Strand. Die 8 Zimmer sind einfach, bieten aber eigentlich alles, was man braucht: Saubere Bettwäsche, gute Matratzen und ein ordentliches Bad mit heißem Wasser. Doppel: US$ 30–35, Single: US$ 15–20; inkl. Frühstück

Shehe Bungalows

Tel.: 2236 704 oder 2233 949

Die etwas größere Shehe-Anlage direkt am Strand liegt in einem hübschen Garten. Die 28 Zimmer (zum Teil mit separatem Bad) sind zwar neu hergerichtet und sehr sauber, aber über den Geschmack dieser Renovierung lässt sich streiten. Doppel: US$ 30, Single: US$ 20; mit Frühstück (Zwischensaison niedrigere Preise); inklusive Frühstück

Annex Bungalows

Tel. und Preise: Siehe Shehe Bungalows. Die 6 Bungalows des dem Shehe angeschlossenen Annex sind von außen etwas hübscher anzusehen, aber vom Standard der Inneneinrichtung ungefähr vergleichbar.

Kimte Beach Inn

Tel.: 2240 154, Fax: 2240 153

Es gibt 7 kleine Zimmer, die recht lieblos eingerichtet sind, zum Teil aber mit eigenem Bad und heißem Wasser. Im Gegensatz zu den Zimmern ist das Haus an sich sehr hübsch und liegt etwas zurückversetzt vom Strand in einem kleinen Garten. Doppel: US$ 30, Single US$ 20; inklusive Frühstück

Die perfekte Idylle:
Das Hotel Blue Oyster in Jambiani

Goman Bungalows
Tel.: 2240 154, Fax: 2240 153
Ganz am Ende des Strandes von Jambiani befindet sich das Goman, dessen 9 Zimmer (einige mit eigenem Bad/warmem Wasser) geräumig und sauber sind. Im Unterschied zu den anderen Anlagen sind die Bungalows und das Restaurant nicht direkt am Strand, sondern etwas erhöht über den Klippen gelegen. Sehr schöne Aussicht! Doppel: US$ 30, Single: US$ 20; inklusive Frühstück

Rubrik „Augen zu und durch“
(alle ohne Telefon)
Horizontal Inn: US$ 8 pro Person; inklusive Frühstück
Manufa Guesthouse: US$ 10 pro Person; inklusive Frühstück
Al Hapa Guesthouse: US$ 10–15 pro Person; inklusive Frühstück

Restaurants
Pinchos Restaurant
Im Dorf hinter den Sau Inn Hotel befindet sich dieses „Local-Restaurant“, das mit wirklich leckeren Ge-

richten aufwarten kann. Trotz Islam kann man hier auch Bier und sogar Wein zum Essen bekommen. Wichtig wäre eine Vorbestellung, sonst kann es unter Umständen dauern.

Molly's Restaurant

Eine andere empfehlenswerte Local-Variante ist dieses kleine Restaurant am Strand von Jambiani, ca. 500 Meter nördlich vom Blue Oyster Hotel gelegen. Keiner weiß, wie lange es sich dort noch hält, aber wenn man es noch antrifft, sollte man ein Abendessen dort nicht verpassen. Die Gerichte sind richtig lecker und vor allem sehr günstig. Unbedingt vorbestellen!

Die meisten anderen Restaurants sind den jeweiligen Hotels und Guesthouses angeschlossen. Besonders gut gefallen hat es uns dort:

Im ***Blue Oyster Hotel***, weil man erstens sehr schön sitzt und zweitens die überbackene Papaya ein besonderer Leckerbissen ist.

Im ***Coco's*** ist der Service sehr gut. Einige Gerichte rechtfertigen das gehobene Preisniveau, andere aber auch nicht.

Im Restaurant vom ***Shehe*** hat man eine sehr schöne Aussicht auf das Meer und auch die Küche kann man empfehlen.

Wichtige Tipps und Infos

Reisebüro:
Eco-Tours: Kazim organisiert verschiedene Ausflüge. Zum Beispiel nach Makunduchi zur Frauenkooperative, deren Waren er auch in seinem Souveniershop in Jambiani verkauft (Mande Tourist Gift Store). Ein weiteres Angebot ist eine spezielle Kultur-Tour durch Jambiani. Unter anderem geht es zum „mganga", dem Kräuterdoktor, zu den „Kumbi-Höhlen" und zum ortsansässigen Lehrer, der seine auf Korallenstein aufgebaute Frucht- und Gemüseplantage erklärt.

Krankenstation: Direkt neben der Schule in der Dorfmitte.

Post: Bei „Mussa" kann man seine Post aufgeben und Briefmarken kaufen.

Der Süden

Kizimkazi

Kizimkazi Mtendeni hat etwa 2000 Einwohner und liegt in der Südkurve der Insel. Der Name des Ortes wurde vom ersten Bewohner abgeleitet. Er hieß Mr. Kizi und war Perser. In Kizimkazi Dimbani, dem zweiten Stadtteil, befindet sich die älteste Moschee der Swahili-Küste. Sie wurde im 12. Jahrhundert erbaut und enthält die ältesten arabischen Inschriften an der ostafrikanischen Küste. Dem ungeübten Auge scheint diese geschichtliche Bedeutung der Moschee aber etwas unauffällig. Aber nicht zuletzt wegen der langen Geschichte ist man hier traditionell. Jeder bekennt sich zum Islam und 90 Prozent der Bevölkerung wählt die Staatspartei CCM. Etwa 80 Prozent der Bewohner leben vom Fischen und von der Herstellung von Kokosnussseilen, der Rest vom Tourismus. Die Bucht steht wegen dem Fischreichtum und den Korallen seit 1996 unter Naturschutz, weil außer den Fischern aus Kizimkazi auch andere Fischer von weiter her kamen und mit ihren Ankern die Korallen zerstörten.

In Kizimkazi starten die berühmten „Dolphin-Tours“. Von hier aus werden Touristen mit Holzbooten auf das offene Meer gefahren, um Delfine zu beobachten oder gar mit ihnen zu schwimmen. Deshalb gibt es direkt am Strand einige große Restaurants mit Parkplätzen.

Der Rest des Dorfes liegt verschlafen im Hintergrund. Die Touristen verirren sich selten bis dahin, noch seltener wollen sie übernachten. Es gibt eine Schule, die 1997 fertig geworden ist und eine Krankenstation mit einer Ärztin und zwei Assistenten. Außerdem hat man einen Fußballplatz und drei Fußballteams zu bieten.

Wie kommt man hin/zurück

Siehe entsprechendes Kapitel Stone Town.

Unterkunft/Restaurants

Kidizi Restaurant

Im Sommer 2000 eröffnetes Restaurant, das ab der Saison 2001 auch Zimmer vermieten wird. Da das Lokal sehr großflächig angelegt ist, wirkt es etwas ausgestorben, wenn nur wenig Gäste anwesend sind. Es ist jedoch sehr sauber und ordentlich.

Cabs Restaurant
In derselben Bucht wie das Kidizi liegt auch Cabs Restaurant etwas erhöht auf einer Klippe. Das Ambiente ist nett und über den Service kann man auch nicht klagen. Die Speisekarte und die Preise sind ähnlich wie bei den Konkurrenten.
Das Cabs vermietet 6 Zimmer gleich in der Nähe des Lokals. Sie sind einfach, aber sauber ausgestattet. Für alle Bewohner steht ein Gemeinschaftsbad zur Verfügung.
Doppel: US$ 20, Single: US$ 10; inklusive Frühstück im Restaurant

Rubrik „Augen zu und durch“
Kizimkazi Beach Villa, Tel.: 2238 520
Kizimkazi Dolphin View, Tel.: 2231 065

Makunduchi

„Hey, du bist wohl aus Makunduchi?“ werden die Bewohner aus Makunduchi bei ihren Besuchen in Stone Town oft gefragt. Man erkennt das auf einen Blick: Alle haben roten Sand an den Füßen. Denn Makunduchi ist ein Farbspiel in rot. Leuchtend rote Erde, Häuser aus Lehm in ocker, karmensin oder bordeaux. Die Frauen der zweitgrößten Stadt der Insel (ca. 22.000 Einwohner) tragen orangefarbene Kangas, und wenn die Sonne untergeht, leuchtet alles orange. Selbst die Kinder sind wie mit rostroter Erde gepudert, die äußerst fruchtbar ist. Der Ort besteht aus dem alten Makunduchi, der hauptsächlich aus palmengedeckten Lehmhäusern besteht und einem kleinen Strand, an dem oft Delfine zu sehen sind. Das neuere Makunduchi ist etwa zwei Kilometer weiter im Landesinneren entstanden. Dort kann man ein paar verfallene Reihenhäuser im DDR-Plattenbaustil bewundern.

In das nur ca. 42 km von Stone Town entfernte Makunduchi verirren sich so gut wie keine Touristen. Die Menschen leben als Farmer und sind berühmt für ihre hervorragenden Mangos. Die Frauen betreiben zusätzlich Seegrasfelder. Das Swahili, das hier gesprochen wird, hört sich anders an als in Stone Town. Englisch spricht, außer der englischen Austauschlehrerin, ohnehin fast niemand. Der Ort hat eine Schule mit etwa 1000 Schülern, eine Post und eine Bank, die allerdings nur montags zwischen

11.00 Uhr und 12.00 Uhr geöffnet hat. Meist schließt sie oft schon nach 10 Minuten, weil ohnehin niemand kommt. Travellerschecks können deshalb hier logischerweise nur mit Glück getauscht werden.

In Makunduchi gibt es eine Frauenkooperative, die Teppiche, Körbe, Hüte, Kleidung, Geldbeutel und Kokosnussöl herstellt und die Sachen im Ort selbst und in Souvenirläden in Stone Town und Jambiani verkauft. Der Erlös fließt auf ein gemeinsames Konto.

Auffällig ist die neu ausgebaute Straße. Die Gelder stammen eigentlich von den großen Hotelbesitzern an der Ostküste, die seit Jahren verzweifelt auf eine bessere Anbindung an Stone Town warten. Der Präsident von Sansibar hat diese Spenden jedoch etwas eigennützig für die Straße nach Makunduchi genutzt. Er und seine Familie fahren gerne zügig nach Hause.

Dolphin Tour

Die Hauptattraktion von Kizimkazi ist die Dolphin Tour, die überall in Stown Town angeboten wird, die man aber auch auf eigene Faust direkt in Kizimkazi organisieren kann. Ausgangspunkt für die Suche nach den schlauen Meeresbewohnern sind drei Restaurants am Strand: Kizidi Restaurant, Cabs Restaurant und das Dolphin Shadow Restaurant.

Egal welches Sie sich für die Buchung aussuchen, der Preis für die 1,5-stündige Tour ist überall gleich. Ein Boot, in das bis zu 25 Personen passen, kostet Tsh 25 000 und fährt ca. ½ Stunde, bis es die Gebiete erreicht, wo sich normalerweise die Delfine tummeln. Die Schnorchelausrüstung kann bei den Restaurants, teilweise gegen zusätzliches Entgeld, ausgeliehen werden.

Achtung: Die Delfine werden vor allem morgens und nachmittags gesichtet. Wer schlecht plant und um die Mittagszeit rausfährt, läuft Gefahr, kein einziges Tier zu Gesicht zu bekommen.

In Kizimkazi starten die Delphin-Touren

Unterkunft

Unterkunftsmäßig sieht es schlecht aus. Es gibt nur einige private Unterkünfte, die immer mal wechseln. Vor Ort nachfragen. Außerdem die beiden ZTC-Bungalows, die wir wie immer nicht empfehlen können.

Unguja Ukuu

Auf dieser Halbinsel entstanden im 7. Jahrhundert n. Chr. die ersten richtigen Siedlungen von Persern. Davon merkt man jetzt wenig. Denn Unguja Ukuu liegt weit weg vom Touristenrummel und verspricht intakte Natur mit ihren unberührten Mangrovenbuchten und kleinen, vorgelagerten Inseln ohne Touristenrummel. Hier kann man Schnorcheln, Schwimmen, auf den traditionellen Fischerbooten rumsegeln und Delfine beobachten.

Ökohotel in Unguja Ukuu

Das Ökohotel liegt in der Bucht von Unguja Ukuu, einem kleinen Fischerdorf an der Westküste der Hauptinsel Sansibars und unterscheidet sich von üblichen Hotelanlagen. Da das Gebiet erst im Jahr 2000 für den Tourismus geöffnet wurde, ist hier eine Art Vorzeigeprojekt entstanden. Versorgt wird die Unterkunft durch eine Solaranlage und Regenwasser wird gesammelt, gefiltert und als Trinkwasser verwendet. Mit seinem ungewöhnlichen Projekt versucht der junge deutsche Initiator, Ronnie Bender, die Umwelt Sansibars zu schützen, gleichzeitig bessere Einkommen für die lokale Bevölkerung zu schaffen und mit einem Teil des erwirtschafteten Geldes (siehe Kasten) die Schule in Unguja Ukuu zu unterstützen. Die Bungalows sind im lokalen Stil errichtet, aus Holz, Lehm, Kalksteinen und Palmblättern, bieten jedoch in ihrem Innenbereich einen erstaunlichen Ausstattungskomfort. Die Küche serviert eine weite Palette traditioneller sansibarischer Gerichte. Sie wird von der nahe gelegenen eigenen Farm versorgt mit Gemüse und Obst versorgt.

Vom Ökohotel aus werden auch Tagesausflüge organisiert

NGO – eine Entwicklungshilfeorganisation

Neben einigen regierungsabhängigen Entwicklungshilfeorganisationen, gibt es auf Sansibar ca.150 unabhängige Verbände, so genannte NGOs, die in verschiedenen Bereichen der Entwicklungszusammenarbeit tätig sind. Eine dieser NGO's, „Eco+Culture", betreut verschiedene Projekte, die das Ziel haben, die Umwelt sowie die Tradition auf Sansibar zu bewahren und eine Art Ökotourismus zu etablieren: Kunsthandwerkerkooperativen, ökologischer Landbau und Ökohotels, wie das in Unguja Ukuu. Der Erlös dieser Angebote kommen der NGO und seinen Projekten zugute.

Buchung:
eco+culture
Hurumzi Street, Stone Town
(gegenüber Emerson & Green Hotel)
Zanzibar, Tel./Fax: 2236808
E-Mail: r_bender@gmx.net
Ein Tagesausflug nach Unguja Ukuu kostet ca. US$ 15
Doppel: einfaches Makutihaus (mit Gemeinschaftsbad): US$ 5–8 pro Person. Komfortable Lehmhütte (mit Bad) US$ 10–15 pro Person.

Mwaka Kogwa – Das persische Neujahrsfest

Geisteraustreibungen und Opferschlachtungen auf Sansibar

Das größte Ereignis in Makunduchi ist das persische Neujahrsfest. Da muss man hin. Jedes Jahr. Sonst bringt's Unglück. Das Fest ist ein Zeugnis der Tradition von Sansibar, dem Orient und Persien. Hier wird Ende Juli das alte Jahr nach der Zeitrechnung des Shirazi-Kalenders ausgetrieben und zu diesem Anlass reist fast die halbe Insel an. Der Platz, an dem die Feier stattfindet, ist von drei riesigen Baobabbäumen umgeben. Man sagt, er sei magisch. Am Eröffnungstag ist dort ein Schlachtfeld, oder besser eine rote Staubwolke. Denn nachdem eine Strohhütte mit einer Opferpuppe abgefackelt wurde, verprügeln sich alle Männer mit Zuckerrohrstangen und Bananenblättern. Straßenweise tut man sich zusammen und bildet eine Bande. Eine „Streetgang" sozusagen. Einmal richtig zuhauen und dann ist wieder Frieden im Dorf, das ist die Idee. Simpel und irgendwie überzeugend. Während früher Stöcke benutzt wurden, schlägt man sich heute glücklicherweise nur noch mit Bananenblättern.

Erstaunlicherweise sind diesmal auch die Frauen sehr aktiv. Allerdings liefern sie sich keine Zuckerrohrschlacht, sondern sie rennen in Gruppen über den rotstaubigen Platz und beginnen, die Männer mit Sprechgesängen zu provozieren. Die Lieder handeln vom dörflichen Leben, von Liebe und Erotik. Der Inhalt dieser Sprechchöre ist ziemlich anzüglich: "Wir wollen nicht mehr mit Euch ins Bett gehen, weil Eure Schwänze so lang wie Stöcke sind", brüllen verschleierte Dorffrauen. Die Männer antworten nicht minder direkt. Um sie herum knallen Bananenblätter auf nackte, braune Männerkörper. Danach geht es noch mehr zur Sache. Verbal natürlich. Man kann nicht davon ausgehen, dass der Prophet Mohammed diese Dialoge gut heißen würde. Aber vermutlich wird er auch ausnahmsweise nicht eingeladen, denn hier feiert man eine Tradition aus der vorislamischen Zeit. Das Fest macht deutlich, wie

Beim persischen Neujahrsfest sind sogar die Frauen außer Rand und Band

locker die Sansibari alte schamanische Bantu-Praktiken in den islamischen Glauben integrieren. Dadurch hat jeder die Gelegenheit, die aufgestauten Agressionen des vergangenen Jahres offiziell loszuwerden. Bevor alles startet, müssen die Bewohner der Insel von allem vergangenen Übel durch das traditionelle „Shamoo" befreit werden. Dann wird eine Kuh geschlachtet und geopfert, das frische Blut sollen die Geister trinken. Im Laufe der Woche werden mit Tänzen und Liedern die bösen Mächte vertrieben, an die man hier wirklich glaubt. Man erhofft sich Glück und ein friedliches Dorfleben. Zum Abschluss wird, nach mehreren rituellen Reinigungszeremonien, eine Geisterhütte in Brand gesetzt. Danach beginnt das neue Jahr wie erwünscht: Friedlich!

Das Fest beginnt von 2001 bis 2003 jeweils am 22. Juli. Ab 2004 startet es am 23. Juli. Interessant für Touristen ist immer der erste Tag ab 11 Uhr vormittags, weil es da am meisten zu sehen gibt.

Pemba – die Grüne

Pemba ist die kleine Schwesterinsel von Sansibar, das eigentlich Unguja genannt wird. Sie ist grüner, hügeliger und abwechslungsreicher als Unguja und wurde deshalb von den arabischen Seeleuten „Jazora al Khudra", die Grüne genannt. Etwa 50 Seemeilen von der Hauptinsel entfernt liegt die unberührte Landschaft mit ihrem üppigen Baumbestand. Im Schnitt ist es auf Pemba vier Grad kühler als auf Sansibar. Die Bevölkerung (354.000 Einwohner im Jahr 2000), die im Gegensatz zur Hauptinsel Unguja ungewöhnlich hoch ist, verteilt sich auf eine Fläche von circa 150 km². Die höchste Erhebung ist ein Hügel von 95 Metern Höhe. Im Gegensatz zur flachen und sandigen Ostküste wirkt die Westküste mit den vielen Buchten und Landzungen wie ausgefranst.

Die zum Teil sehr schlechten Straßen schlängeln sich kurvenreich durch die fruchtbaren Gebiete, in denen über 3,5 Millionen Nelkenbäume stehen. Obwohl die Größe der Anbauflächen im Vergleich zu den Hochzeiten wesentlicher geringer geworden ist, ist Pemba noch immer der weltgrößte Nelkenexporteur. Man produziert hier wesentlich mehr Gewürznelken als auf der prominenten Nachbarinsel. Während der Erntezeiten von Juli bis September und das zweite Mal von Dezember bis Januar hilft auf Pemba jeder, der „schon" oder „noch" laufen kann, die Blutenknospen einzusammeln und zu trocknen. Kinder bekommen schulfrei und die Alten erheben sich von ihren Ruheplätzen. Über der ganzen Insel liegt dann ein bitter-würziger Duft.

Für den Gewürznelkenanbau ist der größte Teil der ursprünglichen Bewaldung gerodet worden. Gerettet hat sich nur ein kleines Urwaldgebiet, das Ngezi Forest genannt wird. Die Monokultur der Nelken führte nicht nur dazu, dass einige Tierarten ausstarben, sondern auch zu Krankheitsbefall an den übrigen Bäumen. Neben den Nelken sieht man ab und zu Cassava-Plantagen, Kokospalmen, Bananen- und Mangobäume. In den flacheren Gebieten sind auch Reisfelder zu finden. Pemba galt schon immer als die Kornkammer der Swahiliküste und erreichte dadurch, zumindest in früheren Zeiten, beachtlichen Reichtum. Zeuge

dieses ehemaligen Wohlstand sind die vielen Ruinen, die von besseren Zeiten erzählen können. Leider sind die meisten schon bis auf die Grundmauern zerfallen.
Pemba hat aber nicht nur Nelken und Ruinen zu bieten, sondern auch einen geheimnisvollen „spirit". Westliche Medizin wird zwar angewendet, aber traditionelle Medizin und Wunderheiler haben mindestens das gleiche Ansehen – wenn nicht größeres. Interessierte aus aller Welt reisen an, um die profunden Kenntnisse im Voodoo hier zu erlernen.
Touristisch gesehen schläft Pemba noch den Schlaf des Unschuldigen. Die Atmosphäre in Stone Town könnte man im Vergleich schon fast als metropolitisch bezeichnen. Die Insel verfügt weder über ein ausgedehntes Netz an Unterkunftsmöglichkeiten, noch über die entsprechende Infrastruktur, was das Reisen eher beschwerlicher oder – wie man es eben sieht – aufregender macht. Heute ist die unberührte Insel hauptsächlich für Tauchbegeisterte interessant, die überfüllte Reviere wie Ägypten oder die der Malediven meiden und auf der Suche nach neuen, unbekannten Spots sind.

Menschen auf Pemba

Die Bewohner der Insel sind recht konservativ und wählen überwiegend die CUF-Partei (Civil United Front), die mehr traditionell persisch-islamisch orientiert ist. Der Kontakt zum Oman und den arabischen Ländern wird hier mehr gepflegt als auf der Nachbarinsel, denn die „Wapemba", wie man die Bewohner hier nennt, sind meist arabischen Ursprungs und grenzen sich gerne von den Sansibari auf der Hauptinsel ab. Nicht zuletzt deshalb, weil Pemba weder politisch noch touristisch eine große Rolle spielt. Dafür verirren sich Traveller selten hierher und Pauschaltouristen gibt es schon gar nicht. Die Menschen sind eher kontaktscheu und tauen erst auf, wenn man etwas Swahili spricht. Dann werden sie sehr freundlich und neugierig auf die Fremden. Aber ebenso triff man auf konservative Muslime, deren Abneigung gegen jeden Fremden überwiegt. Man möchte die Tradition wahren und nicht durch fremde Einflüsse wie z.B. Tourismus, abgelenkt werden.

N
W
O
S
5 km
Pemba
Verani
Ras
Kiuyu
Michiweni
Kokota
Island
Ngezi
forest
Wete
Usinje
Island
Chake-
Chake
Misali
Island
Indischer
Ozean
Mkoani
Makoonywe
Island
Mtangani
Kiweni
Island
Panza
Island

Stierkämpfe auf Pemba – „Mchezo wa ng′ombe“

Wenn die Trockenzeit sich dem Ende nähert, tönt nachmittags ab drei Uhr ein Stampfen, Klatschen, Rasseln und schrilles Singen über die Insel. Mit einem ohrenbetäubenden rhythmischen Lärm bringen sich die Zuschauer für den „Mchezo wa ng'ombe“, den Stierkampf, in Stimmung. Die Arena ist eine Lichtung im Palmenwald. Im rot leuchtenden Nachmittagslicht sitzen die Menschen auf der wackeligen Tribüne aus Kokosnussholz und warten auf die VIPs des Dorfes. Für die gibt es eine „VIP-Lounge“, die aus einem Gerüst mit extra Palmendach besteht. Die Damen haben sogar eine Tribüne mit Vorhängen. Und wenn die Berühmtheiten dann kommen, steigt die Stimmung. Natürlich waren es die Portugiesen, die den Stierkampf ursprünglich eingeführt haben, aber das war schon im 16. und 17. Jahrhundert. Nun ist das Ritual aus der anderen Welt längst ein afrikanisch-arabisches Volksfest, denn mit den Stierkämpfen wollen die Wapemba die Regenzeit herbeirufen. Außerdem kann man natürlich am besten kämpfen, wenn der Boden hart und trocken ist. Zwar sind die hier üblichen Zebu-Rinder von Natur aus nicht aggressiv, aber die wenigen, die wirklich kämpferisch werden, gehen in die Analen der Geschichte Pembas ein.

Wie zum Beispiel die berühmten Bullen Doria, Bom-Bom, Mirihi, Kipole und Udandau. Selbstverständlich ist immer ein bisschen „Uchawi“, also Zauber im Spiel, wenn die Stiere und die „Mtazamaij“, die Stierkämpfer, erfolgreich sein wollen. Meistens werden drei bis sechs Stiere gleichzeitig in die Arena geführt. Zuerst präsentiert man die harmlosen Tiere, die eher als Statisten fungieren. Die richtigen Stars kommen zuletzt. Das steigert die Spannung. Mit dem klassischen spanischen Stierkampf hat das Ganze recht wenig zu tun. Denn man versucht eigentlich nicht, den Bullen ernsthaft zu verletzen oder zu töten. Hier auf Pemba ist dabei sein alles. Und das Dabei sein dauert so lange, bis die Sonne untergeht, denn dann wird es Zeit, die Moschee aufzusuchen.

Wie kommt man hin/zurück

Per Flugzeug

Von Sansibar existiert ein regelmäßiger Flugverkehr, aber es können auch private Flieger gechartert werden.

Zan Air
Tel./Fax: 2232 993 oder 2233 670 oder 0747-413 240
E-Mail: zanair@zitec. org
Kosten: US$ 70 ein Weg

Eagle Air
Tel.: 2127 411/12, Fax: 2127 415
E-Mail: eagleair@africaonline.co.tz
Kosten: US$ 60

Per Schiff

MS Sepideh
Diese Fähre ist empfehlenswert, weil sie gut ausgestattet und vor allem schnell ist. Der höhere Fahrtpreis gegenüber der Serengeti lohnt sich!
Abfahrt: 10 Uhr morgens, 4 mal wöchentlich
Fahrtdauer: ca. 2,5 Stunden
Kosten: US$ 35 für 2. Klasse,
1. Klasse US$ 5 extra

MS Serengeti
Diese Version ist eindeutig nicht zu empfehlen, da das Schiff zum einen sehr schmutzig und vor allem erheblich langsamer ist. Zudem hat der Sicherheitsstandard dieser Fähre keinen guten Eindruck gemacht.
Fahrtdauer: 7–8 (!) Stunden
Abfahrt: Mo, Mi und Fr um 22. 00 Uhr, Do und Sa um10.00 Uhr
Kosten: US$ 20, bei Hin- und Rückfahrt kann man Discount bekommen.

Private Dhaus
Hin und wieder werden Touristen auch mit den traditionellen Segelschiffen mitgenommen. Ratsam ist dies allerdings nicht, denn die Überfahrt durch den Pemba Channel ist nicht ungefährlich. Zudem wurde es den Fischern von der Regierung verboten, Touristen mit an Bord zu nehmen. Falls man erwischt wird, droht ein unangenehmes Bußgeld.

Wie kommt man rum

Die Straßenbedingungen auf Pemba sind nicht unbedingt überwältigend. Oft sind die Pisten sogar mit geländegängigen Motorrädern nur schwer zu

Die kleinere Nachbarinsel Pemba ist noch grüner als Sansibar

meistern. Die Hauptverkehrswege sind in Ordnung, der ganze Rest fällt unter die Rubrik „Abenteuer".
Stellen Sie sich also auf anstrengende Fahrten ein, wenn Sie über Land reisen – egal ob mit Auto, Bus, Motorrad oder sogar Fahrrad.

Dalla-Dalla
Es gibt nur wenige Autos auf der Insel, die meisten sind öffentliche Dalla-Dallas. Allerdings findet man hier nicht die typische Variante mit den Holzaufbauten, sondern eine kleinere Schwester aus der „Dalla-Dalla-Familie". Die Hauptroute geht von Mkoani via Chake Chake nach Wete und Konde. Die Busfahrer sind unter Umständen auch gewillt, Sie an Orte außerhalb ihrer normalen Route zu bringen – gegen einen entsprechenden Unkostenbeitrag.

Von Mkoani nach Chake Chake:
Bus Nr. 3; 35 km;
Fahrtdauer: 1 Stunden

Von Chake Chake nach Wete:
Bus Nr. 6 (alte Straße) bzw. Nr. 34 (neue Straße); 40 km;
Fahrdauer: ca.1,5 Stunden

Von Wete nach Konde:
Bus Nr. 35; 20 km;
Fahrtdauer: 1 Stunde

Zu den Abfahrtszeiten der ***„Sepideh"*** nach Sansibar gibt es einen speziellen Bus-Shuttle von Wete via Chake Chake nach Mkoani. Der Bus startet in Wete ca. 3 Stunden (in Chake ca. 2 Stunden) bevor die Fähre im Hafen von Mkoani ausläuft. Am besten reservieren!
Fahrtkosten:
Von Wete nach Mkoani: Tsh 1000
Von Chake Chake nach Mkoani: Tsh 500

Autovermietung/ Motorradverleih/ Fahrradverleih
Ob Auto, Motorrad oder Bike – keines dieser Fahrzeuge gibt es in Massen auf Pemba. Bei allen diesbezüglichen Belangen fragen Sie am besten in Ihrem Guesthouse nach.

Preisbeispiele:
Motorrad: ca. US$ 30 pro Tag, US$ 100 für 4 Tage
Auto: ca. US$ 40–45 pro Tag

Unterkunft auf Pemba

Unterkünfte sind auf Pemba noch nicht wirklich zahlreich zu finden. Richtig luxuriöse gibt es nur zwei. Alle anderen – also die günstigen Absteigen – befinden sich in den drei Hauptorten, weitab von allen Stränden und Sehenswürdigkeiten. Ihre Ausstattung liegt im Allgemeinen eher im unteren Bereich. Das heißt, Funktionalität können Sie erwarten, aber keine Gemütlichkeit. Das nur in Ausnahmefällen.

Mkoani

Mkoani liegt an der zerklüfteten Südküste von Pemba. Im „Haupthafen" der Insel geht man an Land, wenn man per Schiff anreist. Hier kauft man auch die Fährtickets zur Weiterfahrt. Es ist ein kleiner, langgezogener Ort, der sich an der Haupstraße entlangschlängelt. Bis auf den netten Markt ist der Ort nicht sonderlich sehenswert. Es gibt ein paar kleinere Läden und einige schlichte Restaurants sowie eine Krankenstation. Die Umgebung eignet sich aber gut zum Wandern oder Fahrradfahren (z.B. zum Ras Mkoasha, vier Kilometer nördlich).

Unterkunft

Jodeni Lodge

Tel./Fax: 2432 190 oder 2456 042

Das Beste in Sachen Unterkunft in Mkoani. Die Anlage befindet sich auf einer Anhebung nördlich des Hafens. Man muss also etwa einen Kilometer zu Fuß laufen, aber es lohnt sich, nicht zuletzt wegen der Terrasse mit dem wunderbaren Blick aufs Meer und auf die Landschaft. In der Hängematte lässt sich hervorragend der Sonnenuntergang genießen. Die Zimmer sind einfach, aber sauber. Strom gibt es hier noch nicht, aber Kerzenstimmung hat auch was.

Zusätzlicher Service: Zwar gibt es keine eigene Tauchschule, die Besitzer arbeiten aber zusammen mit der „Argo", einem Tauchboot. Angeboten werden Schnorcheltrips, Tauch- und Segeltrips, Fischen und natürlich diverse Touren auf der Insel.
Preisbeispiel: Misali Island für US$ 25 pro Person.

In Planung: Komfortablere Bungalowanlage am südlichen Wambaa Beach. Voraussichtliche Fertigstellung: Dezember 2001. Doppel: US$ 20 mit Gemeinschaftsbad, US$ 30 mit privatem Bad, Schlafsaal: US$ 8; alles inklusive Frühstück

Sunset Lodge
(ehem. Mkoani Guesthouse)
Tel.: 2456 102
200 m nördlich vom Hafen gelegen befindet sich die zweite Adresse nach Jondeni. Gute Betten, einigermaßen sauber. Nettes Ambiente und freundliches Personal. Der schöne Garten bietet erstens eine gute Aufenthaltsmöglichkeit und zweitens einen angenehmen Platz für's Abendessen.
Doppel: US$ 10 (Gemeinschaftsbad), US$ 15 (privates Bad); inklusive Frühstück

Rubrik „Augen zu und durch"
Zam Zam Guesthouse: kein Telefon
ZTC Hotel: kein Telefon

Restaurants

Ein gutes Abendessen bekommt man eigentlich nur in den drei Guesthouses. Ansonsten gibt es im Ort (am Hafen sowie in der Nähe des ZTC) natürlich die lokalen „Hotelis", die für zwischendurch leckere Mishkaki (Fleischspieße), Hühnchen, Pommes, Eier etc. anbieten. Zum günstigen Preis versteht sich.

Was gibt es zu sehen

Jambangome Ruins
Die Ruinen sind schwer zu finden. Von der Hauptstraße biegt links ein kleiner Weg ab, der auch zum Wambaa Beach führt. Nach ca. 1 km führt linker Hand ein kleiner Weg ab. Dem folgt man, bis er sich gabelt. Von da an fragt man sich am besten durch oder heuert schon im Dorf ein paar Jungs an, die einem den Weg zeigen. Der Weg ist toll, aber eine Stunde Fußmarsch muss man in Kauf nehmen. Für Motorradfahrer ist es eine Herausforderung!
Die Ruinen tragen ihren Namen zurecht, denn die Anlage ist wirklich ziemlich zerfallen. Alter Prunk lässt sich aber trotzdem noch erkennen. Immerhin ist der ehemalige Haupthafen Pembas fast 500 Jahre alt.

Gute Straßen zu finden ist auf Pemba
eher ein Glücksspiel

Strände/Inseln

Wambaa Beach

Ein einfach zu organisierender, lohnenswerter Ausflug geht an den Wambaa Beach. Die Straße dahin ist in Ordnung und der 2 km lange Sandstrand genial. Man kann die Tour sehr gut mit einem Besuch der Jambangome Ruins verbinden.

Kiweni (Shamiani) Island

Ein Bootstrip von Mkoani auf diese Insel kostet ca. Tsh 5000. Der teure Trip lohnt sich, denn die Strände sind wirklich sehenswert. Zur Zeit unser Recherchen waren zwei Hotelanlagen im Bau, wobei fraglich ist, wann sie fertig gestellt sein werden.

Kuji Island/Makongwe Island/Panza Island

Die Anfahrt zu diesen Inseln ist sehr beschwerlich. Empfehlenswert sind diese einsamen Eilande aber für Leute, die mit einem Boot unterwegs sind. Oder für wirkliche Abenteurer, die sich auf Robinsons Spuren bewegen.

Wichtige Tipps für Mkoani

Geführte Touren:
Werden von allen drei Guesthouses angeboten. Wir empfehlen Jodeni Lodge.

Fährtickets:
Am Hafen gibt es das Sepideh und Serengeti Büro, letzteres hat allerdings nur ca. vier Stunden vor Abfahrt der Fähre offen.

Bank: Tel.: 2456 444

Infos aller Art:
Bei Ali Seif und Mbarouk von der Jodeni Lodge!

Krankenhaus:
Schräg gegenüber den Ruinen des alten Forts.

Chake Chake

Chake Chake ist der Hauptort Pembas und liegt ungefähr in der Mitte der Westküste. Hier befinden sich alle Verwaltungsgebäude sowie die Dalla-Dalla-Zentralstation und eine Post.

Außerdem gibt es noch ein zerfallenes, aber zu früheren Zeiten bedeutendes arabisches Fort, von dem noch zwei Kanonen erhalten sind. Der Blick über die Bucht lohnt sich! Neben einer Handvoll Geschäften besteht die Möglichkeit, Geld zu wechseln und alle anstehenden organisatorischen Dinge zu erledigen. Über den kleinen Fischmarkt gibt es unterschiedliche Meinungen, die von charmant bis unangenehm stinkend reichen. Etwas außerhalb des Ortes befindet sich der nationale Flughafen, Chake Chake Karume Airport.

Unterkunft/Restaurants

Swahili Divers Lodge

Tel./ Fax: 2452 768,
E-Mail: swahilidivers@intafrica.com
Internet: www.swahilidivers.com

Beste Adresse am Ort sind die Swahili Divers unter europäischer Leitung. Die Jungs sind spezialisiert auf alle Belange von Tauchern, bieten aber auch Nicht-Tauchern eine Unterkunft. In einem schönen, alten Quaker-Missionshaus gelegen (Decken sind etwa vier Meter hoch), fast im Zentrum der Stadt, hat man eine schöne Aussicht auf die Umgebung. Das Personal ist sehr nett und hilfsbereit. Neben Fahrrädern und Motorrädern können auch diverse Touren organisiert werden.

Doppel: US$ 25 (mit Gemeinschaftsbad), US$ 35, (mit privatem Bad; inklusive Frühstück
Schlafsaal: US$ 7; ohne Frühstück.

Preisbeispiele fürs Tauchen:

2 Tauchgänge: US$ 75
Padi Open Water (4 Tage): US$ 295
Padi Advanced: US$ 240

Le Tavern

Tel.: 452 660

Die Zimmer sind zwar ordentlich und sauber, aber ziemlich dunkel und

ohne jegliche Ausstrahlung. Fast klinische Atmosphäre.
Doppel: US$ 10 pro Person (Gemeinschaftsbad), US$ 15 (mit privaten Bad); inklusive Frühstück

Venus Lodge
Tel.: 2452 293
Etwa 2 km außerhalb des Ortes in Richtung Wete befindet sich diese Unterkunft. Sie bietet ganz schöne, saubere Zimmer, die mit traditioneller Einrichtung ausgestattet sind. Die Angestellten sprechen leider kein englisch, aber ihre Freundlichkeit macht dies wieder wett. Empfehlenswert!
Doppel: US$ 10–20 pro Person

Nassir Guesthouse
Tel.: 2452 882
Nicht nur die Lage ist ähnlich wie Venus Lodge, sondern auch der Standard und der Preis.
Doppel: 10–20 US$ pro Person

Rubrik „Augen zu und durch"
Hoteli ya Chake: Kein Telefon

Restaurants
Jaziraa Restaurant
Dieses Restaurant ist im Grunde das einzig empfehlenswerte am Ort. Kleine Terrasse.
Ansonsten gibt es natürlich die Hotelis, einheimische Lokale, die Übliches anbieten.

Was kann man unternehmen

Oil Destillery
Ca. 4 km von Chake entfernt (in Richtung Vitongoji) befindet sich ein sehenswürdiger Spot in Sachen Gewürze. Dort wird nämlich hauptsächlich Nelkenöl gepresst, für das Pemba bekannt ist. Zudem werden kosmetischen Lemongras- und Kardamomöle destilliert.

Ras Mkumbu
Diese Ruinenstadt zählt zu den interessantesten und besterhaltensten Sehenswürdigkeiten Pembas. Sie liegt auf der Spitze einer Halbinsel, die von Chake Chake aus ca. 20 km weit ins Meer hineinragt. Rein theoretisch kann man die Stätte zu Fuß über einen Pfad durch

Achtung Sumpfgebiet!

dichte Mangrovensümpfe erreichen, aber diese Variante empfiehlt sich nicht, da der Weg schwer zu finden ist. Meist wird Ras Mkumbu per Boot von Mkoani oder Wete aus angefahren.
Die zwischen dichter Vegetation versteckten Ruinen der „Großen Moschee“ stammen aus dem 13. Jahrhundert und die ganze Anlage soll eine der größten Gebetsstätten der damaligen Swahili-Kultur gewesen sein. Nicht weit von der Moschee entfernt sind 14 beeindruckende Pfeilgräber zu besichtigen.
Anfahrt: Am besten, man bucht eine organisierte Tour von Chake Chake aus. Ansonsten kann's anstrengend und teuer werden.

Pujini Ruins/Mkame Mdume Ruins

Die ca. 10 km Anfahrt von Chake Chake aus kann man leicht mit dem Fahrrad zurücklegen. Die Ruinen dieser Wehranlage aus dem 14. Jahrhundert gelten ebenso wie Ras Mkumbu als einzigartig. Der Geschichte nach soll der damalige mächtige Herrscher Muhammad bin Albulrahman diese Anlage zum Schutz seiner immensen Reichtümer gebaut haben. Weil er so grausam zu seinen Leuten gewesen sein soll, wurde er auch „Mkame ndume“ (der Menschenmelker) genannt.

Strände/Inseln

Es gibt einige besuchenswerte Strände in der Nähe, die innerhalb einer Stunde mit dem Fahrrad zu erreichen sind: Makoba Beach, Liko la Ngezi, Liko la Vumba.

Wichtige Tipps für Chake Chake

Reisebüros

Zan Air: Tel.: 2452 278,
schräg gegenüber vom ZTC Hotel.

Partnership Travels:
(ehemals Faizin Tours):
Tel./Fax: 245 2278

Inter Island Investment:
Tel.: 2454 352

Bank:
People's Bank of Sansibar,
Tel.: 2452 360

Krankenhaus: Am alten Fort

Flughafen:
Chake Chake Karume Airport

Misali Island

Dieses Eiland gilt als das Highlight der Pemba vorgelagerten Inseln für Taucher, aber auch nur für Liebhaber paradiesischer Inseln. Von Juli bis September kann man mit Glück Wale beobachten und Delfine gibt es eigentlich immer zu sehen. Um Misali herum erstreckt sich einer der reichsten Korallengürtel Ostafrikas.

Tauchfreunde haben die Möglichkeit unter Wasser einen „Natural Trail" zu „erschwimmen", und für Landratten gibt es noch einen, den man zu Fuß begehen kann. Kosten: US$ 5.

Fans von Piratengeschichten kommen auf Misali auch auf ihre Kosten. Es wird erzählt, der berühmte Captain Kidd soll im 17. Jahrhundert einer seiner zahlreichen Schätze hier gebunkert haben. Bisher ist jedoch nichts gefunden worden. Sie könnem Ihr Glück ja mal versuchen.

Leider muss man relativ tief in die Tasche greifen, um in diesen Genuss zu kommen. Unter US$ 50 pro Boot kommt man nicht hin.

Wete

Die kleine Stadt liegt im Nordwesten der Insel in einer Bucht. Der Ort ist unspektakulär und bietet bis auf eine Post, eine Polizeistation und einen Markt wenig Interessantes. Auch hier gibt es einen Hafen, doch der dient hauptsächlich als Verladestation für den Nelkenexport und als Dhau-Hafen.

Touristen sind hier nicht wirklich willkommen, man fürchtet um den Verfall der Sitten. Doch um den Norden der Insel zu erkunden, ist Wete eine gute Ausgangsbasis. Auf der kleinen Insel Mtambwe Mkuu, die etwa eine Meile vor Wete liegt, befinden sich zahlreiche, sehr verfallene Ruinen, die aus der Zeit zwischen dem 11. und 14. Jahrhundert n. Chr. stammen. Die Insel ist deshalb bekannt, weil man im Jahr 1984 ca. 1300 Silbermünzen fand, die aus dem 12. Jahrhundert stammen sollen.

Unterkünfte

Manta Reef Lodge
Tel.: 2473 462 oder 0811 320 025,
E-Mail: mantareef@twiga.com
Ganz im Norden von Pemba, am Panga Ya Watoro Beach befindet sich diese Anlage, die sich als absolute Taucherunterkunft präsentiert. Sie beherbergt eine perfekte Tauchbasis, die mit 10-jähriger Erfahrung aufwarten kann. Aber auch das restliche Ambiente ist außergewöhnlich. Abholservice von der Fähre kann arrangiert werden, wenn man im Voraus bucht.
Gutes Preis-Leistungsverhältnis.
Doppel: US$ 70, Bungalow US$ 120, Vollpension; Schlafsaal: US$ 15 (nur für Taucher)

Preisbeispiele für Tauchinteressierte:
Einzelne Tauchgänge:
US$ 35
Padi Open Water-Tauchkurs:
US$ 350

Fundu Lagoon
Tel.: 0741-326 551, Fax: 2326 552,
E-Mail: fundu@africaonline.co.tz
Internet: www.fundulagoon.com
Am Wambaa Beach befindet sich dieses 5-Sterne- Hotel unter deutscher Leitung. Angeboten wird natürlich alles, was zu einem Traumurlaub gehört: Traumhafte Lage, perfekter Service, luxuriöse Räumlichkeiten und alle möglichen Wassersportaktivitäten.
Doppel: Ab US$ 220 pro Person, Vollpension

Sharouk Guesthouse
Tel.: 2454 368
Die beste Low Budget-Adresse in Sachen Unterkunft und Organisation von Touren und Fahrzeugen.
Doppel: US$ 20; inklusive Frühstück

Rubrik „Augen zu und durch“
Bomani Guesthouse: Tel.: 2454 301

Restaurants

Empfehlenswert sind ***Sharouk Guesthouse***, ***New Pop Inn*** und vor allem ***Green Garden Refreshments*** in der

Kokosnussernte ist nicht ganz ungefährlich

Nähe des Hafens. Dieses nette Gartenrestaurant bietet allerlei lokale Spezialitäten an.

Was gibt es zu sehen

Ngezi Rain Forest

Super spannend ist ein Besuch in diesem dichten Urwaldgebiet, das zu früheren Zeiten einen erheblich größeren Teil Pembas bedeckt hatte. Arabische Plantagenbesitzer ließen jedoch einen Großteil des Waldes niederbrennen, um das Land für den Nelkenanbau nutzbar zu machen. Ca. 5 km von Konde entfernt trifft man auf das heute 14 km^2 große Naturschutzgebiet, das nicht nur endemische Pflanzen, sondern auch einzigartige Tierarten, wie zum Beispiel "fliegende Füchse" (Fledermäuse), Pemba-Eulen oder besondere Affenarten beherbergt. Am Eingang werden Touren durch den Wald angeboten. Fatalerweise sprach unser „Führer" kein englisch.

Eintritt und Führung: Tsh 4000 für einen 1-stündigen Rundgang. Anfahrt: Bus Nr. 35 in Richtung Konde. Auf dem Weg dahin lässt Sie der Fahrer unterwegs an der richtigen Stelle aussteigen und Sie müssen von dort noch ca. 3 km zu Fuß gehen. Die weniger anstrengende Variante: Sie können den Fahrer überreden, gegen eine zusätzliche Bezahlung von Tsh 1000–2000, Sie bis zum Informationszentrum zu bringen.

Mkia Wa Ng´ombe Ruins

Die Tour zu den Mkia wa Ng´ombe Ruins ist zumindest für Architekturlaien weniger wegen den Ruinen spannend, als wegen dem damit verbundenen Spaziergang durch den Ngezi Forest!

Strände

Vumawimbi Beach

An diesem selten besuchten Strand toben Affen herum, und man hat wirklich das Gefühl, in der letzten Ecke der Welt zu sein: Außer ein paar Fischern ist man hier der einzige Mensch. Und der einzige Tourist sowieso.

Tondooni Beach

Auch dieser Strand ist bemerkenswert und nur sehr selten „verirren" sich

Touristen hierher. Es gibt hier keinen Tidenhub, weshalb man auch bei Ebbe baden kann. Aber nicht nur der Strand an sich, sondern die ganze Gegend bis hoch zur Manta Reef Lodge ist empfehlenswert: Kleine, schnuckelige Dörfer in Lehmbauweise, nette Menschen und wunderschöne Landschaften. Außerdem grenzen Tondoori und Vumawimbi direkt an einen dichten Urwald, was die Gegend noch interessanter macht.

Inseln

Njao/Fundu/Uvinje

Zu erreichen sind die Inseln nur relativ teuer mit Schiffen. Mit dem Motorboot muss man außerdem ca. 2-3 Stunden Fahrtzeit in Kauf nehmen. Angeboten werden organisierte Touren vom Sharouk Guesthouse.

Eine Möglichkeit für alternative Traveller: Sich ein Boot mieten, Schnorchelausrüstung mitnehmen, Zelt, und dann die Inseln mit dem Boot auf eigene Faust erkunden.

Wichtige Tipps für Wete
Bank: Tel.: 2454 170
Krankenhaus: Tel.: 2400 1

Konde/Tumbe/Chwaka

Bis Konde existiert öffentlicher Verkehr, aber wer weiter will, ist auf ein eigenes Fahrzeug angewiesen. Wer im Besitz dieses Luxus ist, sollte sich den Fischmarkt von Tumbe ansehen. Er ist einer der größten Pembas und hat eine ganz besondere Atmosphäre. Gar nicht weit weg findet man zudem noch die Chwaka Ruins. Wieder eine Herausforderung für Abenteurer, denn man muss sich nach dem Fußweg mühsam durchfragen, da er nur schwer zu finden ist.

In Konde selbst gibt es keine offizielle Übernachtungsmöglichkeit. Wer aber trotzdem hier übernachten möchte, bzw. gezwungenermaßen muss, kann nach Abdallah Sali oder nach Suleiman Khator Ahmed fragen und ein Privathaus für Tsh 7000 mieten.

Wichtiges Tipps und Informationen für Pemba

Internet

Leider gibt es auf der ganzen Insel kein einziges Internetcafé, auch die Unterkünfte arbeiten ohne. Die frühere Möglichkeit in Wete funktioniert schon seit langem nicht mehr.

Strände

Diese gibt es auf Pemba jede Menge und von der allerschönsten Sorte. Da gibt es eigentlich nur einen Haken: An viele Stellen kommt man nur sehr beschwerlich hin. Öffentliche Verkehrsmittel fahren nur auf den Hauptwegen und Mietfahrzeuge sind nicht einfach zu bekommen und zudem teuer.

Tauchschulen:

Fundu Lagoon:	siehe Wete
Jodheni Logde:	siehe Mkoani
Manta Reef Lodge:	siehe Wete
Swahili Divers:	siehe Chake Chake

Schnorcheln

Schnorchelausrüstung unbedingt selbst mitbringen.

Banken:

Alle drei Hauptorte besitzen eine Bank, in der Bargeld getauscht werden kann. Möglichkeiten Traveller-Schecks zu tauschen, gibt es zu Zeit nur in Chake Chake.

Kleiner Sprachführer Swahili

Auf Sansibar wird swahili gesprochen. Die Sansibari lieben ihre Sprache und vermeiden die englische Zweitsprache, wo es nur geht. In Stone Town und einigen touristischen Gebieten werden Sie mit englisch zwar meist verstanden, aber wenn Sie trotzdem ein paar Brocken swaheli im petto haben, wird es Ihnen bestimmt bei manchen Gelegenheiten hilfreich sein. Vielleicht können Sie sogar eine kleine Konversation mit den Einheimischen führen, was von der Bevölkerung sehr geschätzt wird.

Trauen Sie sich zu sprechen, die Sansibari haben ihre helle Freude daran, Sie in ihrer Sprache reden zu hören. Und es ist gar nicht so schwer.

Die folgenden Ausdrücke werden Ihnen helfen auch in Gegenden, in denen kein englisch gesprochen wird, zu „überleben". Wer sich für tiefer gehende Informationen interessiert, kann sich folgende reisetaugliche Mini-Nachschlagewerke besorgen:

Phrasebook Swahili. Lonely Planet, ISBN: 0-86442-509-0

Christoph Friedrich: Kisuahili Kauderwelsch. Band 10, Reise Know-How, DM 9.90

Zur Aussprache:

In Swahili werden die Vokale wie in der deutschen Sprache und die Konsonanten wie im Englischen ausgesprochen.

ch =	tsch (Beispiel: chakula (tschakula) = Essen)
dh =	klingt wie englisch „this"
sh =	klingt wie unser deutsches sch (Beispiel: ishrini (ischrini) = zwanzig)
th =	stimmlos wie englisch „father"
k =	wird weich ausgesprochen wie gh
s =	wird scharf ausgesprochen
w =	wird wie das deutsche u ausgesprochen (Beispiel: wewe (ueue) = du)

y = wird wie das deutsche j ausgesprochen
z = wird als stimmhaftes s ausgesprochen (Beispiel: mzuri = gut
j = wird weich wie dsch ausgesprochen (Beispiel: Jambo (dschambo) = Guten Tag)

Zahlen

Eins	moja
Zwei	mbili
Drei	tatu
Vier	nne
Fünf	tano
Sechs	sita
Sieben	saba
Acht	nane
Neun	tisa
Zehn	kumi

Elf	kumi na moja
Zwölf	Kumi na mbili
Dreizehn	kumi na tatu usw.

Zwanzig	ishrini
21	ishrini na moja usw.
30	thelanthini
40	arabaini
50	hamsini
60	sitini
70	sabini
80	themanini
90	tisaini
100	mia

200	mia mbili
300	mia tatu usw.
1000	elfu

Begrüßung

Hallo?	Jambo (umgangssprachlich, so werden eigentlich nur Touristen angesprochen, von denen man glaubt, dass sie kein swahili sprechen.) Besser man fragt so: Hujambo?
Mir geht es gut	Sijambo
Wie geht es xy?	Hajambo xy?
Willkommen!	karibu!
Wie geht's?	habari?
Gut!	Mzuri, nzuri

„Coole" Begrüßungen

Wie schaut es aus?	Mambo?
Und wie?	Sasa?
Was ist los?	Vipi?
Mogliche Antworten:	Fresh! Poa! Safi! Fiti! Kazi!

Erste Konversationen

Wie heißt du?	Jina lako nani?
Ich heiße...	Jina langi ni....
Wie geht es den Kindern?	Watoto hawajambo?
Warum bist Du hier?	Kwa nini umekuja hapa?
Um Urlaub zu machen.	Kwenja livu.
Wohin gehst du jetzt?	Unakwenda wapi?
Ich gehe nach....	Nakwenda...
Es war nett, dich kennen zu lernen!	Ni me furahi kukutana na wewe!

Auf dem Mlandege Bazar an der Creek Road: Dieses Foto hat die Autorinnen nach langen Verhandlungen Tsh 200 gekostet

Häufige Ausdrücke

Ja	ndio
Nein	siu, hakuna, hapana
Bitte	tafadhali
Danke	ashante, sana
Verzeihung	samahani
Guten Morgen	habri za sauburi
Guten Tag (nachmittags)	habari za mchana
Guten Abend	habari za jioni
Auf Wiedersehen	kwa heri
Heute	leo
Morgen	kes
Gestern	jana
Ich verstehe nicht	si fahuamu
Ich möchte gerne	tafadhali nipe
Wie viel?	kiasini gani?
Wann	lini
groß/klein	kunwa/kidogo
gut/schlecht	safi/mbaya
heiß/kalt	moto/baridi
schnell	haraka
früh/spät	mapema/chelewa
Viel	mingi

Wochentage

Montag	jumatatu
Dienstag	jumanne
Mittwoch	jumatano
Donnerstag	alhamsini
Freitag	ijumaa
Samstag	jumamosi
Sonntag	jumapili

Unterwegs

Wo ..?	wapi..?
Flughafen	uwanja ya ndege
Bank	benki
Apotheke	duka la dawa
Doktor	daktari
Post	osta
Bushaltestelle	stesheni ya basi
Markt	soko
Flugzeug	ndege
Schiff	meli
Gepäck	mizigo
Bus	basi
Ankunft	wanaofika
Abfahrt	wanaoondoka
rechts	kulia
links	kushoto

Wichtige Fragen

Wie spät ist es?	Ni saa ngapi?
Wie weit ist es bis.. ?	Ni shilingi ngapi kwenda...?
Wo ist die Toilette?	Choo kiko wapi?
Wie viel kostet..?	Ngapi..?
Wie viel kostet das Bier?	Bia ni bei gani?
Noch eine Runde, bitte!	Ongeza, tafadhali!
Wo ist hier was los?	Kuna starehe gani huku?
Darf ich ein Foto machen?	Naomba kupiga picha?
Woher kommst du?	Unatoka wapi?

Hotel

Haben Sie ein Zimmer frei?	Je, kuna nafasi ya chumba hapa?
Zimmer	chumba
Tag	siku
Woche	wiki
Nacht	usiku
Frühstück	chai cha asubuhi
Bad	bafu
Bett	kianda
Telefon	simu
voll (besetzt)	imejaa

Einkaufen

Wo ist...?	ni wapi..?
Ich suche...	natafuta ...
Kirche	kanisa
Restaurant	mkahawa
Museum	makumbusho
Geld	pesa, fedha
Bäckerei	duka la mkate
teuer	ghali
billig	rahisi
Briefmarke	stempu

Restaurant

Die Rechnung, bitte!	Nipr risiti, tafadhali!
Toiletten	choo
Glas	bilauri
Tasse	kikombe
Teller	shahani

Löffel	kijiko
Messer	kisu
Gabel	uma
hungrig/durstig	njaa/kiu

Nahrungsmittel

Essen, Mahlzeit	chakula
Brot	mkate
Reis	wali
Banane	ndizi
Butter	siagi
Gemüse	mboga
Fisch	samaki
Fleisch	njama
Früchte	matunda
Pfeffer	pilipili
Salz	chumvi

Was sonst noch wichtig ist

Kein Problem	hakuna matata
Wie geht`s?	habari?
prima, lecker, klasse	sábi
langsam, langsam	pole pole
Moskitonetz	chandalua
Krankenhaus	hospitali
Das ist zu teuer	ni ghali mno!
Bitte sprich langsam!	Tafadhali sema pole pole
Ich komme aus Deutschland	Kwentu ni Ujerumani

Hintergrundliteratur

Abdul Sheriff (Hrsg.):
Historical Zanzibar – Romance of the Ages.
HSP Publications 1995 (Photoband)

Emily Ruete, geb. Prinzessin von Oman und Sansibar:
„Leben im Sultanspalast". Philo 1998

Emily Ruete, geb. Prinzessin von Oman und Sansibar:
Briefe nach der Heimat. Philo 1997

Fischer, Hans (Hrsg.):
„Ethnologie. Einführung und Überblick".
Dietrich Reimer Verlag 1992

Friedrich, Christoph:
„Kisuaheli Wort für Wort".
Reise-Know-how 2000

Hanby, J./Bygott, D.: „Kangas. 101 Uses".
Ines May Publicity, Kenia, 1985

Interkulturelle Beiträge 14:
„Zeit für Afrika".
Hrsg.: RAA Potsdam 1995 (Broschüre)

Interkulturelle Beiträge 26: „Sansibar ins Gesicht geschaut".
Hrsg.: RAA Potsdam 1997 (Broschüre)

Linnebuhr, E.: „Sprechende Tücher.
Frauenkleidung der Swahili". Lindenmuseum Stuttgart

„Recommend in Zanzibar". Vierteljählich erscheinende Informationsbroschüre.
Kostenlos erhältlich in einschlägigen Läden Stone Towns.

Safari, J.F.: “Swahili Made Easy”. Tansania Publishing House, Dar Es Salaam 1996

Schneppen, Heinz: “Zanzibar and the Germans – a special relationship 1844 –1966”, National Museum of Tanzania, Occasional Paper No. 10, Dar es Saalam 1998 (Broschüre)

Schneppen, Heinz: “Sayyda Salme/ Emily Ruete – between Zanzibar and Germany, between Islam and Christianity”. National Museum of Tanzania, Occasional Paper No. 12, Dar es Saalam 1999 (Broschüre)

Shafi Adam Shafi: „Die Sklaverei der Gewürze”. Marino 1997 (Roman)

Stephan Schuhmacher (Hrsg.): „Innenansichten der großen Weltreligionen“. Fischer-Taschenbuch Verlag 1997

Tombazzi, Giovanni: “Guida di Zanzibar”. Tombazzi 1997 (Reiseführer Italienisch)

Jafferji, Javad: “Images of Zanzibar”. HSP Publications 1996 (Photoband)

Munzinger Länderheft: “Tansania”. Munzinger-Archiv 2000

Filme:

Ingrid Wernich, Hans-Peter Weymar: “Sansibar und Helgoland, Die Schöne und die Herbe“. Dreiteiliger Fernsehbeitrag vom WDR 2000

Kartenmaterial:

Zanzibar/Pemba: Tourist map. Harms Verlag

Tombazzi, G.: Diverses Kartenmaterial. Erhältlich in Souvenirläden in Stone Town

Notizen

Legende zum Stadtplan (Umschlagseite hinten)

Unterkünfte

Low Budget

1 Karibu Inn Guesthouse
2 Flamingo Guesthouse
3 Garden Lodge
4 Clove Hotel
5 Santa Monica´s Guesthouse
6 Malindi Annex Guesthouse
7 Malindi Lodge

Mittelklasse

8 Hotel Kiponda
9 Hotel Heart of Zanzibar
10 Spice Inn Hotel
11 Coco de Mer
12 Hotel International
13 Shangani Hotel
14 Baghani House Hotel
15 Marine Hotel

High Class

16 Emerson & Green Hotel
17 Shangani House
18 Mazon´s Hotel
19 Dhow Palace Hotel
20 Hotel Serena Inn
21 Africa House Hotel
22 Tembo Hotel
23 Beit Al Amaan

Restaurants/Cafés

24 Madina Restaurant
25 Restaurant Passing Show
26 Restaurant/Café Palace
27 Pichy´s Restaurant
9 Restaurant/Café/Hotel Heart of Zanzibar
28 Pagoda Restaurant
29 Blues Restaurant
30 La Fenice
31 Fishermen´s Restaurant
23 Zee Bar Restaurant
32 Two Table Restaurant
33 Restaurant Green Garden
72 Al Sheybani Restaurant

Bars/Discos

34 The Garage Club
35 Starehe Club
16 Bikidude Bar
21 Africa House

Nützliches

36 Post
37 Next Step Internet
38 Dr. Metha´s Clinic
39 Zanzibar Medical Center
40 Deutsches Honorarkonsulat
41 Dr. Mario´s Clinic
42 Institut of Kishuaheli
43 Zantel Telefongesellschaft
44 SG´s Beauty Salon
45 Dalla-Dalla Station
46 Majestic Foto Studio
47 Scotch Store
48 Fahrradverleih Adam
49 Tankstelle
50 Fährbüros
51 PWD Commission of Transport and Communication
75 Apotheke

Sehenswürdigkeiten

52 Arabisches Fort
53 House of Wonders
54 Forodhani Gardens
55 Darajani Markt
56 Mlandege Bazar
57 Ehemaliges Britisches Konsulat
58 Tippu Tipp´s Haus
5 Anglikanisches Kirche/ ehemaliger Sklavenmarkt
59 People´s Palace Museum
60 Memorial Museum
61 Historisches Museum
73 Old Dispensary

Reisebüros/Airlines

62 Sama Tours
63 Zentith Tours
18 Precicion Air
64 Madeira Tours
65 Marlin Tours
66 British Airways/KLM
67 Gulf Air
68 Zan Tours
69 Zan Air

Tauchschulen

70 Bahari Divers
71 Zanzibar Dive Center